근관치료학 실습지침서

대한치과근관치료학회

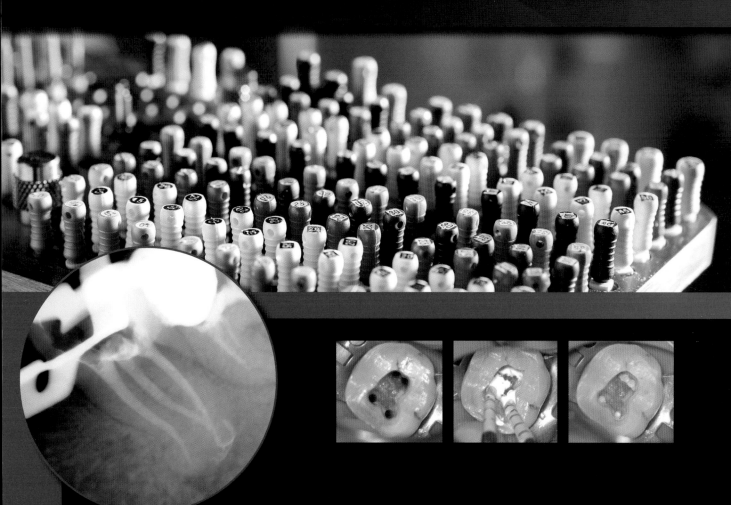

대한치과근관치료학회
Korean Academy of Endodontics

근관치료학 실습지침서

첫째판 1쇄 인쇄 | 2021년 08월 13일
첫째판 1쇄 발행 | 2021년 08월 30일
첫째판 2쇄 발행 | 2022년 02월 18일
첫째판 3쇄 발행 | 2024년 03월 06일

지 은 이 대한치과근관치료학회
발 행 인 장주연
출 판 기 획 한수인
책 임 편 집 이경은
표지디자인 김재욱
편집디자인 유현숙
일 러 스 트 신윤지
발 행 처 군자출판사(주)
　　　　　등록 제4-139호(1991.6.24)
　　　　　(10881) 파주출판단지 경기도 파주시 회동길 338(서패동 474-1)
　　　　　전화 (031)943-1888　　팩스 (031)955-9545
　　　　　www.koonja.co.kr

ISBN 979-11-5955-745-3

정가 45,000원

근관치료학
실습지침서

저자 (가나다 순)

곽영준 (연세자연치과의원)

김진우 (강릉원주대학교 치과대학)

김평식 (초이스치과의원)

박세희 (강릉원주대학교 치과대학)

장석우 (경희대학교 치과대학)

조형훈 (조선대학교 치과대학)

최성백 (파스텔치과의원)

편찬위원회 (전국 근관치료학 교수진)

곽상원 (부산대학교 치의학전문대학원)

김선일 (연세대학교 치과대학)

김성교 (경북대학교 치과대학)

김의성 (연세대학교 치과대학)

김진우 (강릉원주대학교 치과대학)

김현철 (부산대학교 치의학전문대학원)

민경산 (전북대학교 치과대학)

박세희 (강릉원주대학교 치과대학)

서민석 (원광대학교 치과대학)

송민주 (단국대학교 치과대학)

신수정 (연세대학교 치과대학)

오소람 (경희대학교 치과대학)

오원만 (전남대학교 치의학전문대학원)

유미경 (전북대학교 치과대학)

이빈나 (전남대학교 치의학전문대학원)

이　윤 (강릉원주대학교 치과대학)

이진규 (경희대학교 치과대학)

장석우 (경희대학교 치과대학)

전수진 (원광대학교 치과대학)

정일영 (연세대학교 치과대학)

조용범 (단국대학교 치과대학)

조형훈 (조선대학교 치과대학)

하정홍 (경북대학교 치과대학)

황윤찬 (전남대학교 치의학전문대학원)

황호길 (조선대학교 치과대학)

학회 창립 30주년을 맞아 오랫동안 기다려왔던 새로운 근관치료학 실습지침서를 발간하게 되어 기쁘게 생각합니다.

이번 실습지침서는 근관치료의 기초, 근관와동형성, 근관성형, 근관충전 및 각 치아별 근관치료 총 5개의 장으로 구성되었습니다.
근관치료실습에 대한 이해도를 높이고자 가능한 많은 사진과 도해를 삽입하였고, 치과대학 학생뿐만 아니라 치과의사도 근관치료 술식에 대해 참고할 수 있도록 구성하였습니다. 특히 3장 근관성형 부분은 근관치료에 익숙하지 않은 분들도 이해하기 쉽도록 자세히 설명하였고, 마지막 5장에서는 평가표를 통해 실습 과정을 단계별로 평가하고 피드백할 수 있도록 하여 올해부터 시행되는 치과의사 국가고시 실기시험 준비에도 많은 도움이 되리라고 생각합니다.

새로운 실습지침서의 발간으로 그동안 각 학교에서 이루어지던 근관치료학 실습이 표준화될 수 있다는 점에서 큰 의미가 있다고 생각하며, 또한 근관치료학 교육과정이 더욱더 내실화되고 우리나라 근관치료의 치료 수준이 한 단계 더 향상되는 계기가 되길 기원합니다.

바쁜 시간에도 불구하고 실습지침서 집필에 참여해 주신 저자분께 감사드리고 특히, 편찬위원으로 수고해 주신 박세희 교수님, 장석우 교수님, 조형훈 교수님, 김평식 원장님, 최성백 원장님, 곽영준 원장님께 깊은 감사를 드립니다.

마지막으로 본 실습지침서의 발간을 위해 도움을 주신 군자출판사 장주연 대표님과 한수인 팀장, 그리고 편집 작업에 고생하신 이경은씨와 편집부 여러분께 감사를 드립니다.

2021년 8월
대한치과근관치료학회 회장 　김 진 우

차례

Contents

CHAPTER **01**

근관치료의 기초

❶ 근관치료용 기구
❷ 러버댐 방습법
❸ 근관치료를 위한 국소마취법

근관치료의 기초

🦷 1. 근관치료용 기구

근관치료용 기구는 그 용도와 기능에 따라 분류할 수 있다. 본 실습서에서는 일반적인 치과치료용 기구들을 제외하고 근관치료용 기구 중 주로 사용하는 기구들을 소개하고자 한다.

1) 용도와 기능에 따른 분류

(1) 탐사용 기구(Exploring instrument)

근관 입구를 찾거나 근관 입구의 장애물을 분쇄하는 데 사용한다. 대표적으로 Endodontic explorer가 있다.

① Endodontic explorer

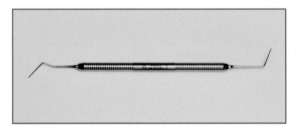

기구의 장축에서 각각 직각과 둔각으로 꺾인 날카롭고 긴 끝을 양쪽에 가진 기구이며, 근관 입구를 찾거나 장애물을 분쇄하는 데 사용한다.

(2) 성형용 기구(Shaping instrument)

근관을 성형하는 데 사용한다. File, Gates-Glidden drill, NiTi rotary file 등이 있다.

① K-file

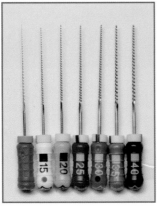

작업 날은 16 mm이며 핸들을 제외한 길이는 21, 25, 31 mm의 세 종류가 있다. 파일의 크기는 핸들에 색으로 표시되어 있다.

② Gates-Glidden drill

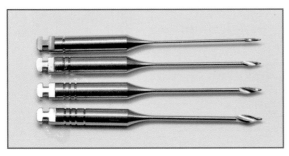

주로 근관의 입구를 확대할 때 사용한다. 크기는 1번의 최대 직경이 0.50 mm이며 번호가 증가할 때마다 0.20 mm씩 커진다. 6번까지 있으나 보통 4번 정도까지 사용한다.

③ NiTi rotary files

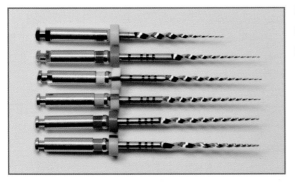

니켈-티타늄 파일은 스테인리스 스틸 파일에 비해 유연성이 뛰어나며, 제조사별로 다양한 시스템이 판매되고 있다. 용도와 특성에 맞게 선택하여 사용한다.

④ 소독한 파일은 사용하기 전에 파일박스에 정리 · 보관한다.

(3) 세척용 기구(Shaping instrument)

근관 세척에 사용하며, Lure-lock syringe, Endodontic irrigation needle 등이 있다.

① Lure-lock syringe

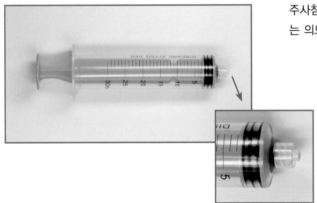

주사침을 돌려서 잠그는 형태로, 주사침이 빠지면서 발생하는 의도치 않은 사고를 예방하기 위해 사용한다.

② Endodontic irrigation needle

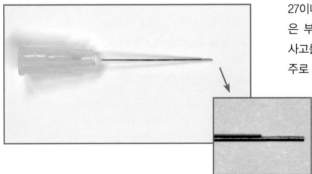

27이나 30게이지의 작은 직경을 주로 사용하며 근관 내 깊은 부위까지 세척액을 적용하는 데 유리하다. 의도치 않은 사고를 예방하기 위해 옆으로 개방된 side-vented 형태를 주로 사용한다.

(4) 폐쇄용 기구(Obturating instrument)

근관을 폐쇄하거나 임시 약제 등을 근관 내에 적용할 때 사용한다. Root canal plugger, Root canal spreader, Lentulo spiral 등이 있다.

① Root canal plugger

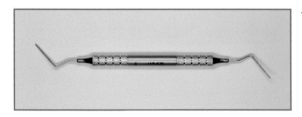

끝이 뭉툭하여 거타퍼챠 콘을 다질 때 사용한다.

② Root canal spreader

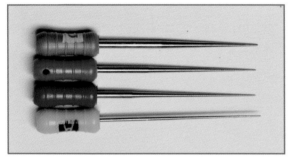

끝이 날카로우며 측방가압법 근관충전 시 부가적인 거타퍼챠 콘을 넣기 위한 공간을 만들 때 사용한다. 손가락으로 잡고 쓰는 것을 주로 사용하며 스테인리스 스틸이나 니켈-티타늄 재질로 제작된다.

③ Lentulo spiral

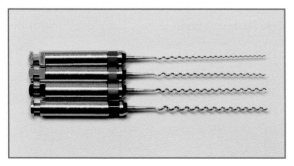

꼬여진 와이어로 된 기구로 저속 핸드피스에 연결하여 paste 를 근관 내에 도포하는 데 사용한다.

(5) 운반용 기구(Transfer instrument)

임시 가봉재, 근관 충전재 등의 재료를 옮길 때 사용한다. Glick No.1 instrument, Endodontic locking plier 등이 있다.

① Glick No. 1 instrument

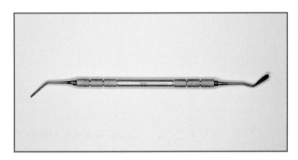

임시 충전재를 옮길 때 사용하는 paddle 부분과 다지는 데 사용하는 plugger 부분으로 이루어져 있다.

② Endodontic locking plier

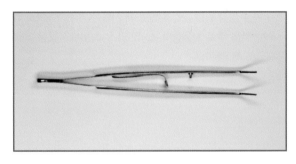

거타퍼챠 콘이나 페이퍼 포인트와 같은 작은 재료를 안전하게 잡고 운반할 때 사용한다.

(6) 기타 기구(Others)

Endodontic ruler, Gutta-percha cone gauge, Special burs (Endo Z bur. Long neck round bur), Ultrasonic instrument 등이 있다.

① Endodontic ruler   ② Endo block

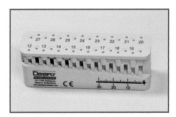

근관치료용 파일이나 기구 및 재료의 길이를 재는데 사용한다.

③ Gutta-percha cone gauge

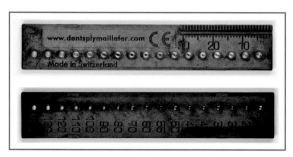

비표준화 거타퍼챠 콘의 크기를 조절하기 위해 주로 사용되며, 거타퍼챠 콘을 원하는 크기의 구멍에 넣고 빠져나오는 부분을 잘라 크기를 조절할 수 있다.

④ Endo Z bur

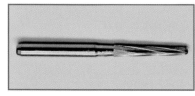

첨단부는 삭제 날이 없는 safe-end bur로, 치수강저를 손상시키지 않으면서 치수벽을 측방으로 확대하고 다듬기 위해 사용한다.

⑤ Long neck round bur

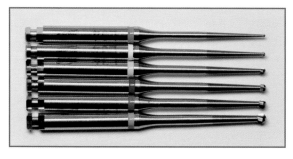

일반적인 라운드 버에 비해 길게 제작되어 핸드피스 헤드에 의해 시야를 방해받지 않고 치수강저를 삭제하는 데 유리하다.

⑥ Ultrasonic instrument

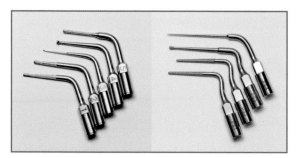

초음파를 이용하여 상아질이나 치수석을 제거하거나 파일이나 포스트를 제거하는 데 사용한다.

2) 근관치료용 수용 기구

근관치료용 수용 기구는 일반적인 수용 기구와 약간 다르다. 전면 반사경(Front surface mirror), Endodontic spoon excavator, Endodontic explorer, Glick No.1 instrument, Endodontic locking plier 등이 있으며, 사용이나 소독이 편리하도록 여러 벌의 kit를 만들어 사용하는 것이 추천된다.

① Front surface mirror

일반적인 후면 코팅 미러와 다르게 전면에 코팅이 되어 있어 상이 더 선명하게 보여 근관치료에 적합하나 습기에 취약한 단점이 있다.

Front surface mirror (위)와
일반적인 Dental mirror (아래)의 비교

② Endodontic spoon excavator

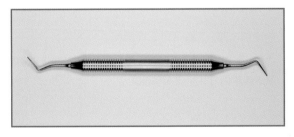

일반적인 spoon excavator보다 긴 shank를 가져 우식이나 깊은 부위에 남아 있는 임시충전재, 치관부 치수조직을 제거하는 데 사용한다.

2. 러버댐 방습법

러버댐은 근관치료 분야에서 가장 효과적이고 필수적인 방습법이다. 러버댐 방습을 하는 이유와 원칙 등에 대해서는 교과서에서 자세히 기술하고 있으므로 본 실습서에서는 러버댐 방습에 필요한 기구와 장비를 소개하고 전치부 및 구치부 시술을 위한 러버댐 방습의 예를 보이고자 한다.

1) 러버댐 장착에 필요한 기구와 장비

러버댐 장착에 필요한 기본적인 기구와 장비들로는 러버댐 시트(Rubber dam sheet), 러버댐 프레임 (Rubber dam frame), 러버댐 클램프(Rubber dam clamp), 러버댐 펀치(Rubber dam punch), 러버댐 포셉 (Rubber dam forcep), 치실 등이 있다.

(1) 러버댐 시트

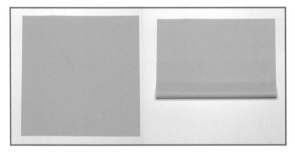

러버댐 시트의 양면 중 분말 처리가 되어 빛 반사가 덜되는 부분이 술자를 향하게 장착하는 것이 좋다.

(2) 러버댐 프레임

러버댐을 잡아당겨 고정하는 기구로 러버댐 프레임의 커브 가 안면의 굴곡에 맞게 적용한다. 플라스틱 프레임을 사용 하면 러버댐을 장착한 상태에서 방사선 사진을 촬영하는 데 용이하다.

(3) 러버댐 클램프

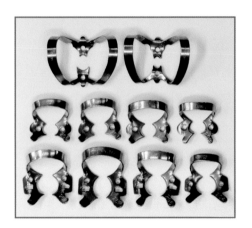

치아에 따라 다음과 같은 클램프를 사용할 수 있으며 제품에 따라 클램프의 번호 체계가 다를 수 있다. 필요에 따라 정해진 치아 외에 다른 치아에도 사용 가능하다.

#210 - 상악전치, #211 - 하악전치
#206, 207, 208, 209 - 소구치
#201, 202, 205 - 대구치
#203, 204 - 작은 대구치(삭제된 대구치)

① 클램프의 구성요소

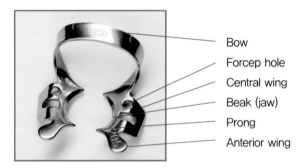

Bow
Forcep hole
Central wing
Beak (jaw)
Prong
Anterior wing

② 기타 클램프

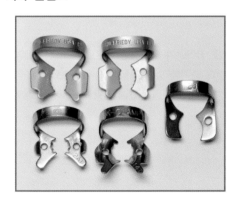

• **톱니 클램프**: 치질 손상이 심한 치아에서는 beak에 톱니 모양의 edge가 있는 클램프가 유용하다.
• **Wingless clamp**: 날개가 없는 클램프이다.

(4) 러버댐 펀치

회전판(punching table)을 돌려서 격리할 치아 크기에 맞게 러버댐에 구멍을 뚫는다.

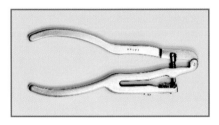 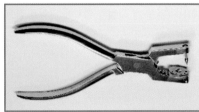 

(5) 러버댐 포셉

① Ash형

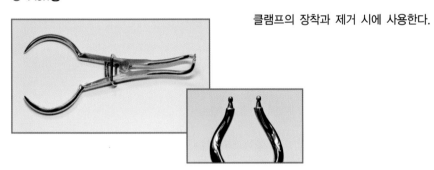

클램프의 장착과 제거 시에 사용한다.

② Ivory형

Ivory형 포셉은 부리 쪽에 돌출부가 있어 치근단 쪽으로
클램프를 밀어 넣기가 용이하다.

(6) 러버댐 형판

러버댐에 뚫을 구멍의 위치는 치료할 치아에 따라 결정하는데, 치아가 원심에 있을수록 구멍의 위치는 러버댐의 중앙에 가깝게 위치하게 된다. 구멍의 위치를 표현한 template를 이용하면 쉽게 적절한 위치에 구멍을 뚫을 수 있다.

(7) 기타 러버댐 고정에 사용할 수 있는 부가적인 재료들

① Wedjet
② Wedge
③ 치실

2) 러버댐 방습법

클램프, 러버댐, 프레임을 한 단위로 장착하는 방법과 클램프와 러버댐을 치아에 장착한 다음 프레임만 따로 장착하는 방법, 클램프, 러버댐, 프레임을 각각 따로 장착하는 방법이 있다.

(1) 전치부 러버댐 방습법(상악 우측 중절치, 210번 클램프)

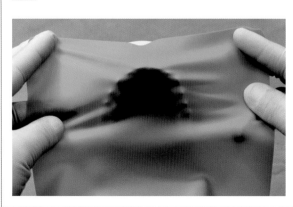

1

러버댐 시트를 악궁에 적용하여 시술 부위에 맞는 적절한 러버댐 구멍의 위치를 정한다.

2

러버댐 프레임을 끼우고 적절한 위치에 러버댐 펀치를 이용하여 구멍을 뚫는다.

3

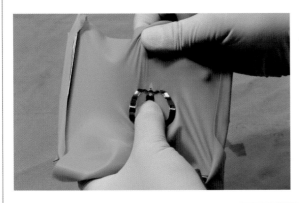

러버댐 시트에 클램프를 장착한다. 이때 beak가 더 넓은 쪽이 순측으로 향하도록 장착한다.

4

러버댐 포셉으로 클램프를 잡고 치아에 러버댐을 장착한다. 이때 잘 보이는 순측 부분이 먼저 닿는 것을 확인하고 구개측은 미끄러져 내려가듯 장착한다.

5

핀셋이나 익스플로러를 이용하여 러버댐 클램프의 wing 상방에 위치한 러버댐 시트를 하방으로 젖힌다.

6

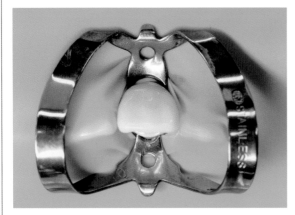

러버댐 포셉으로 클램프를 약간 벌려주고 놓아주면 러버댐이 클램프 하방으로 좀 더 밀려들어 갈 수 있게 되어 방습에 더 효과적이다.

7

러버댐 장착이 완료되었다. 러버댐이 윗입술은 덮고 코를 덮지 않는지 확인하고, 필요한 경우 러버댐 시트를 조정하거나 프레임의 위치를 조정할 수 있다.

8

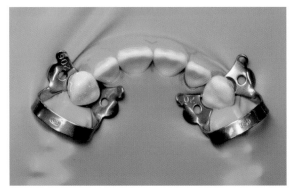

다수의 전방부 치아를 격리하거나 술식의 편의를 위해서 소구치 클램프를 사용할 수 있다.

9

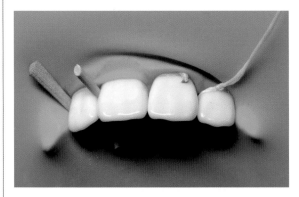

클램프를 장착하기 어렵거나 부가적인 고정이 필요한 경우 wedge, wedget, floss ligature 등을 활용할 수 있다.

(2) 구치부 러버댐 방습법

① 클램프, 러버댐, 프레임을 한 단위로 장착하는 방법의 예(하악 좌측 제1대구치, 205번 클램프)

치아에 장착하기 전에 러버댐에 구멍을 뚫고 그 구멍에 클램프를 삽입하고 프레임을 걸어준 다음 포셉으로 클램프를 잡아 한꺼번에 치아에 장착하는 방법

1

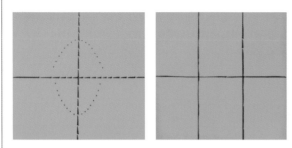

치료할 치아의 위치에 맞게 구멍의 위치를 정한다. 대구치의 경우 세로로 3등분, 가로로 2등분 한 선들이 만나는 점이 대략적인 위치가 된다.

2

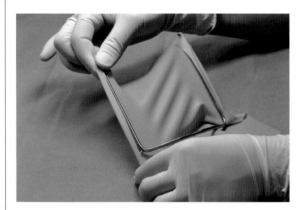

러버댐을 약간 당겨서 프레임에 걸어준다.

3

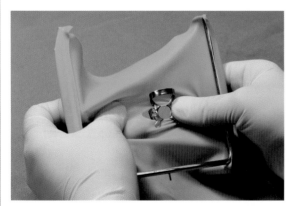

러버댐 펀치로 적절한 위치에 치료할 치아의 크기에 맞는 구멍을 뚫고 치열궁의 굴곡에 맞추어 클램프를 장착한다.

4

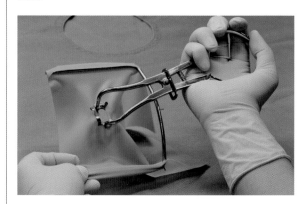

러버댐 포셉으로 클램프를 잡는다. 이때 손바닥이 상방으로 향하게 포셉을 잡는 것이 시야 확보와 러버댐 장착에 유리하다.

5

장착할 치아를 확인하고 시야가 잘 보이는 쪽부터 beak를 위치시킨 후, 포셉을 약간 벌린 상태에서 반대쪽 치면을 따라 미끄러지듯이 장착하여 치은을 손상시키지 않도록 한다.

6

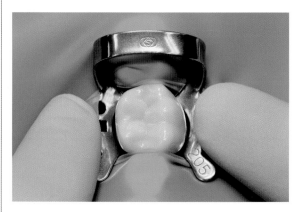

클램프 wing을 양손가락으로 가볍게 눌러 클램프가 치경부에 견고하게 장착되었는지 확인한다.

7

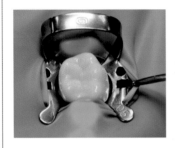 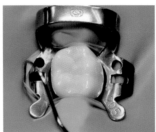

핀셋이나 익스플로러를 이용하여 러버댐 클램프의 wing 상방에 위치한 러버댐을 하방으로 젖힌다.

8

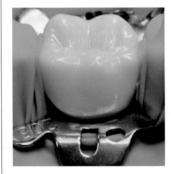 

클램프와 치아의 외형 차이에 의해 빈 공간이 발생한 경우 포셉으로 클램프를 약간 벌렸다가 놓아주어 러버댐이 안쪽으로 더 들어가게 해주거나 oraseal 등의 임시재료로 빈 공간을 채워줄 수 있다.

9

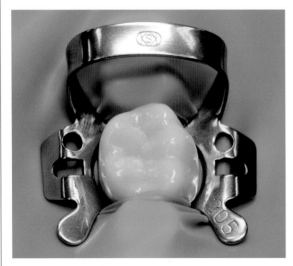

러버댐 장착이 완료되었다. 러버댐이 윗입술은 덮고 코는 덮지 않는지 확인하고 필요한 경우 러버댐 시트를 조정하거나 프레임의 위치를 조정할 수 있다.

② **클램프와 러버댐을 치아에 장착한 다음 프레임만 따로 장착하는 방법의 예(하악 우측 제2소구치, 208번 클램프)**

러버댐 구멍에 클램프를 끼우고, 이 클램프와 러버댐을 치아에 장착한 다음 프레임을 제일 나중에 걸어주는 방법

1

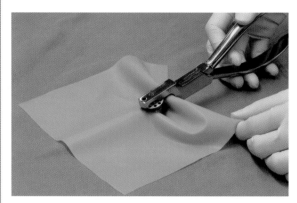

러버댐 시트의 적절한 위치에 구멍을 뚫는다.

2

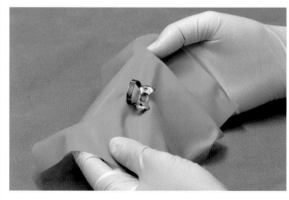

러버댐 시트를 당겨서 악궁의 굴곡에 맞게 클램프를 장착한다.

3

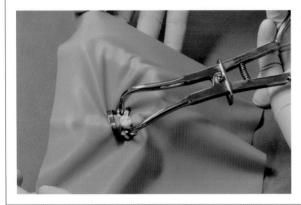

포셉으로 클램프와 러버댐을 잡아서 치아에 장착한다. 이 때 보조자가 러버댐 시트의 한쪽을 잡아주면 러버댐 장착이 용이하다.

4

러버댐 프레임을 위치시키고 러버댐 시트를 약간 당겨서 프레임의 각 모서리에 고정한다.

5

핀셋이나 익스플로러를 이용하여 러버댐 클램프의 wing 상방에 위치한 러버댐을 하방으로 젖힌다.

6

클램프 wing을 양손가락으로 가볍게 눌러 클램프가 치경부에 견고하게 장착되었는지 확인한다.

7

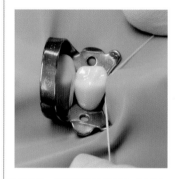

치실을 이용해 근심과 원심측 러버댐 시트를 인접면 접촉점 하방으로 밀어 넣어준다. 이때 치실을 넣은 방향으로 다시 빼지 않고 한쪽 방향으로 빼내는 것이 밀어 넣은 러버댐 시트를 그대로 유지하는 데 유리하다.

8

러버댐 장착이 완료되었다.

③ 클램프, 러버댐, 프레임을 각각 따로 장착하는 방법의 예(하악 우측 제1대구치, 28번 Wingless clamp)

먼저 치아에 클램프를 끼운 다음 러버댐 구멍을 넓혀서 클램프 위를 통해서 러버댐을 끼우고 그 다음 프레임을 걸어주는 방법

1

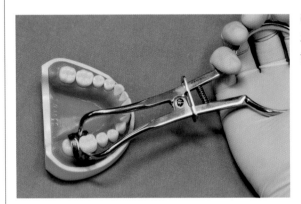

러버댐 시트에 구멍을 뚫고 포셉을 이용하여 클램프를 치아에 장착한다. 포셉을 잡을 때는 손바닥이 상방으로 향하게 잡는 것이 시야 확보와 러버댐 장착에 유리하다.

2

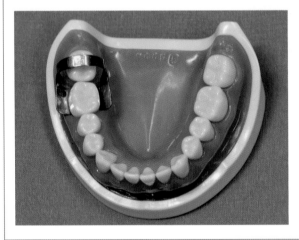

Wingless clamp가 장착되었다.

3

구멍을 뚫은 러버댐 시트를 클램프 bow를 따라 주위로 넓혀서 원심측부터 장착한다.

4

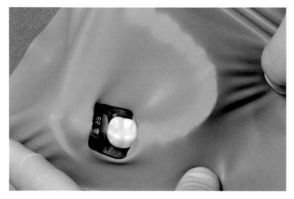

러버댐 시트가 장착되었다.

5

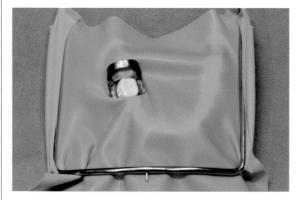

러버댐 프레임을 장착한다.

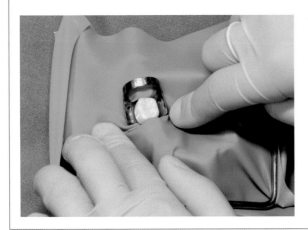

6

치실을 이용하여 러버댐을 밀어 넣는다.

🦷 3. 근관치료를 위한 국소마취법

일반적으로 상악 치아와 하악 전치부의 근관치료 시 침윤마취를 시행한다. 하악 구치부의 근관치료 시 하치조 신경 전달마취를 주로 시행한다.

1) 국소마취 주사기 준비

(1) 필요한 기구

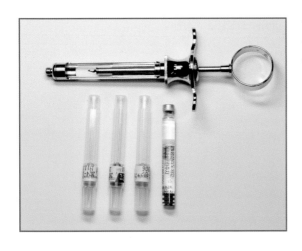

흡인이 가능한 치과용 주사기,
주사용 바늘(27게이지, 30게이지, 30게이지 짧은 바늘),
국소마취제 앰플

(2) 국소마취 주사기 준비

1

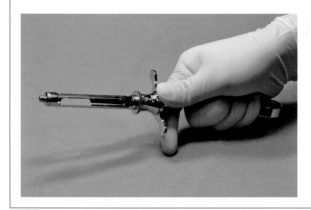

주사기를 뒤로 당긴다.

2

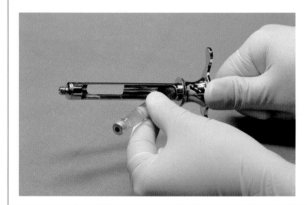

국소마취제 카트리지를 Rubber stopper 쪽부터 넣는다.

3

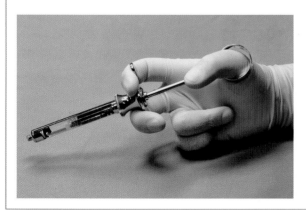

주사기의 흡인용 갈고리(harpoon)가 국소마취제 앰플의 Rubber stopper에 연결될 수 있도록 가볍게 누르거나 쳐서 압력을 가한다.

4

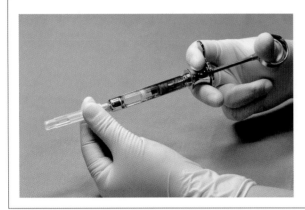

측면에서 바늘을 집어넣고 시계방향으로 돌린다.

5

주사기를 약간 눌러 마취제가 나오는지 확인한다.

2) 침윤 마취

(1) 상악 전치부 침윤마취

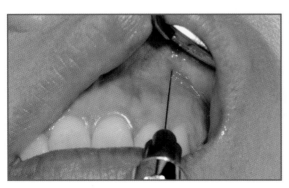

자입점 주위를 팽팽하게 당긴 후 마취를 시행한다. 미리 도포 마취제를 바르거나 미러의 움직임을 통해 마취 시 통증을 줄이는 것이 도움이 된다.

(2) 상악 구치부 침윤마취

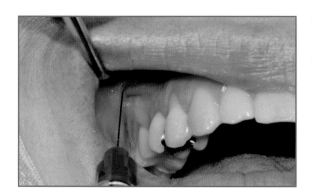

자입점 주위를 팽팽하게 당긴 후 마취를 시행한다. 미리 도포 마취제를 바르거나 미러의 움직임을 통해 자입 시 통증을 줄이는 것이 도움이 된다.

3) 하치조 신경 전달마취

하악 구치부 근관치료를 위해 하치조 신경 전달마취를 시행한 경우 적절한 마취 심도에 도달하기 위해 최소 10분 이상 충분한 시간을 기다려야 한다. 하치조 신경 전달마취는 성공률이 다른 마취법에 비해 낮으므로 부가적인 마취법 또한 숙지할 필요가 있다.

(1) 자입점 및 자입 방향

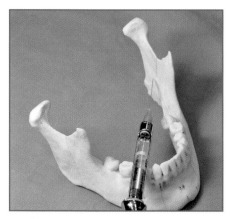
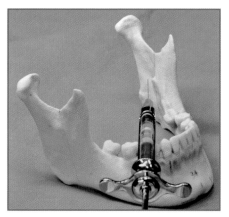

- 자입점: 하치조신경이 하악골 내부로 들어가는 턱뼈구멍(mandibular foramen)의 전상방에 있는 턱뼈 허돌기(lingula of mandible)의 상방에 자입한다.
- 자입 방향: 반대측 구각부 또는 소구치 방향에서 자입한다.

(2) 하치조 신경 전달마취 방법

27게이지의 긴 바늘을 사용하며 보조손의 엄지는 관상돌기 절흔(coronoid notch)에 대고 엄지손가락의 1/2 정도 높이(하악 교합면보다 약 1 cm 상방)에서 익돌하악봉선(pterygomandibular fold)의 약간 외측에 약 20-25 mm 깊이로 자입한다. 이때 반드시 혈액이 흡인되지 않는 것을 확인한 후 천천히 주입하도록 한다.

4) 부가적인 마취법

하치조신경 전달마취를 통해 적절한 마취 심도를 얻지 못하는 경우 협측 침윤마취와 치주인대 마취, 치수강내 마취 등을 부가적으로 시행할 수 있다.

(1) 치주인대 마취

① 치주인대 주사용 압력 주사기

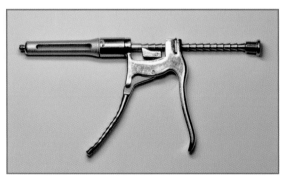

일반적인 치과용 주사기로도 치주인대 마취가 가능하나 특별히 고안된 압력 주사기를 사용하면 더 편리하다.

② **치주인대 마취 방법**

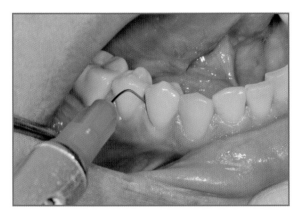

치료할 치아의 근심이나 원심 측에서 장축 방향으로 자입한다. 마취제를 주입할 때 큰 저항감(압력)을 느낄 수 있고 마취제가 구강내로 흐르지 않아야 한다.

(2) 치수강내 / 근관내 마취

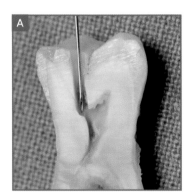
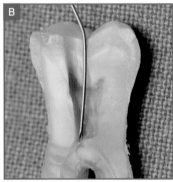

치수강내 마취(**A**) 시 치수강이 완전히 개방되기 전에 치수실에 좁게 구멍을 형성한 후 자입한다. 치수강이 완전히 개방된 후에도 통증을 호소하는 경우 근관내 마취(**B**)를 시행할 수 있다. 마취제 주입 시 심한 통증이 느껴지므로 환자에게 미리 설명해야 한다.

5) 마취 후 뚜껑 닫기

마취 후 주사바늘에 찔리는 사고를 예방하기 위해 올바른 방법으로 뚜껑을 닫아주는 것이 중요하다. 뚜껑을 닫지 않거나 뚜껑을 닫는 과정에서 주사바늘에 찔리는 사고가 종종 발생하기 때문에 본 실습서에서는 안전하게 뚜껑을 닫는 방법(scoop technique)을 소개하고자 한다.

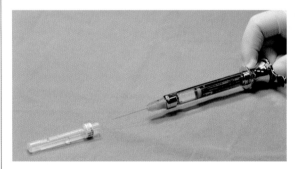

1 주사 바늘을 뚜껑 뒤쪽으로 위치시킨다. 이때 뚜껑을 미리 손으로 잡지 않도록 주의한다.

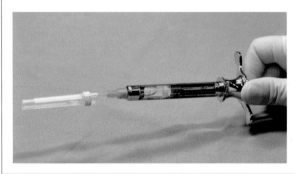

2 주사 바늘을 뚜껑 안으로 삽입한 후 들어 올린다.

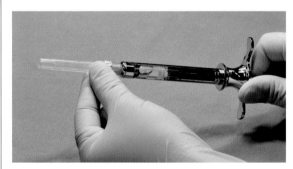

3 완전히 들어 올린 후 측면에서 뚜껑을 잡고 안전하게 닫는다.

CHAPTER

02

근관와동형성

근관와동형성

근관치료의 목적은 치관부에서 치근부에 이르기까지 근관계(root canal system)내 자극원의 제거를 통한 치근단 치주염의 예방과 치료에 있다고 할 수 있다. 이러한 목적을 달성하기 위한 근관치료의 첫 번째 과정이 근관와동형성이며 그렇기에 그 중요성이 많이 강조되고 있다. 이러한 근관와동형성 과정에서는 근관치료를 위한 치수강의 개방뿐만 아니라 근관의 치관부 1/3까지의 치경부 확대(coronal flaring)를 통한 근관의 접근성을 확보하기 위한 과정도 고려해야 한다. 근관와동형성을 통해 근관의 입구를 확인한 이후에 근관 성형 및 세정, 그리고 충전에 이르는 근관치료 과정이 자연스럽게 이루어지기 때문에 근관와동형성 과정에 많은 노력이 필요하며, 이러한 과정은 한 번에 끝나는 과정이 아니라 근관치료 과정 중에 수정하며 만들어가는(making) 과정이라고 할 수 있다.

1. 근관와동형성의 원칙 및 기본 과정

1) 근관와동형성의 목적

(1) 모든 근관의 위치를 파악하고 근관 입구를 확보

(2) 치근단 1/3 또는 근관 만곡이 시작되는 지점까지 기구가 방해받지 않고 직선적으로 접근

(3) 치수강 천정과 치수강내 치수를 제거

(4) 치아 구조를 보존

2) 근관와동형성의 기본과정

근관와동형성을 시작하기 전에 반드시 술전 방사선 사진을 촬영하고 치수강의 부피, 교합면에서 치수강까지의 대략적인 거리를 분석한다. 또한 와동형성을 시작하기 위한 버의 위치를 결정하고 근관와동형성 이후의 이미지를 예상해야 한다. 이 과정을 통해 불필요한 치질 삭제와 원치 않는 사고를 예방할 수 있다.

---

1 **술전 방사선 사진 촬영 및 분석**

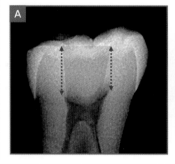 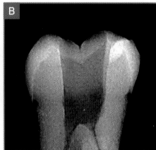

(A) 술전 방사선 사진 분석
(B) 근관와동형성 후 방사선 사진

---

2 **근관와동형성 시작**

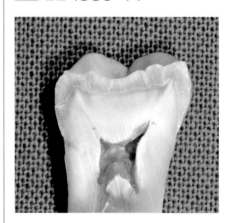

치아의 크기와 치수강의 크기를 고려하여 버를 선택하고, 치수강의 외형을 예상하여 버의 시작 위치를 결정하고 와동형성을 시작한다.

3 치수강 도달 전

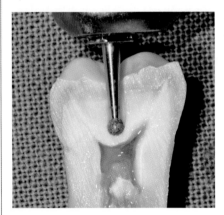

예상되는 깊이까지 삭제하였으나 치수강에 도달하지 못한 경우, 치아의 장축을 확인하고 방사선 사진을 촬영해서 삭제가 올바르게 이루어지고 있는지 확인하고 진행하는 것이 사고를 예방하는 방법이다.

4 치수강에 도달

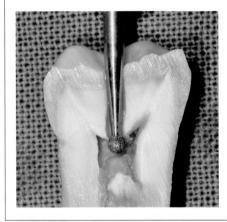

치수강에 도달하게 되면 버가 치수강에 빠지는(drop-in) 느낌을 받을 수 있다. 치수강이 확인되면 치수강저를 삭제하지 않기 위해 버의 종류와 삭제 방향을 바꾸어야 한다.

5 치수각 제거 및 외형 형성

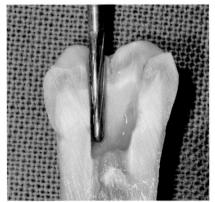

Endo Z bur와 같은 safety-tip bur를 이용하여 외형을 측방으로 넓히면서 치수각 부위를 제거해 준다.

6 근관 입구 확인

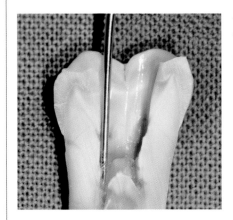

근관탐침(endodontic explorer)을 이용하여 근관 입구를 확인한다. 근관 입구에 직선적인 접근(straight line access)이 어려운 경우 치수강벽을 좀 더 삭제하면서 편의 형태를 부여한다.

7 근관 개방성 확인

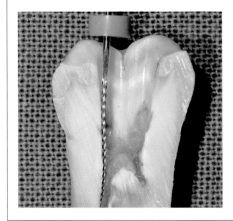

작은 크기의 수동 파일을 이용하여 근관의 개방성을 확인한다.

8 근관와동형성 완료

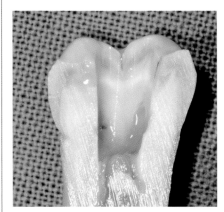

시야 확보가 잘 되도록 교합면 쪽 윗부분이 치수실 쪽 아랫부분보다 넓은 형태로 근관와동이 형성되었다.

근관와동형성 과정을 정리하면 다음과 같다.

(1) 교합면 삭제(occlusal reduction)와 외형(outline form) 설정 및 형성

(2) 치수강 개방 및 치수강 천정(roof)의 제거

(3) 치수각 및 치수강내 치수 제거

(4) 근관 입구의 위치 확인

(5) 편의 형태(convenience form)의 부여

1 교합면 삭제(occlusal reduction)와 외형(outline form) 설정 및 형성

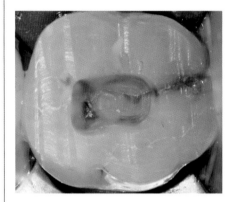

치아의 크기와 최종 완성될 와동의 크기를 고려하여 적절한 직경의 버를 선택하여 대략적인 외형을 형성한다.

2 치수강 개방 및 치수강 천정(roof)의 제거

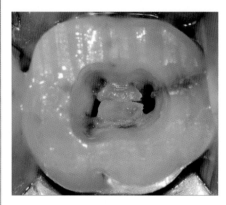

버가 치수강에 빠지는(drop-in) 느낌을 받거나 치수강 천정의 상부가 노출되면 safety-tip을 가진 Endo Z bur 등을 이용하여 측방으로 와동의 외형을 넓히면서 치수강의 천정을 제거한다.

3 치수각 및 치수강내 치수 제거

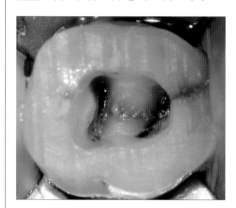

시야가 확보되는 부위의 치수강 벽부터 남아있는 치수각 부위를 제거하고 모든 치수벽의 치수각 부위가 제거되면 각 치수벽을 부드럽게 연결하여 정리해 준다.

4 근관 입구의 위치 확인 및 편의 형태 부여

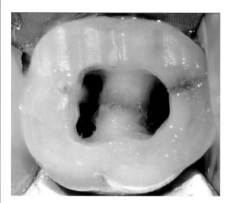

치수강저와 치수강벽이 만나는 부위에 존재하는 근관 입구를 Endodontic explorer를 이용하여 확인하고 coronal 1/3 부위와 외형(outline form)을 연속적으로 연결하는 편의 형태(convenience form)를 형성해 준다.

2. 상악 전치

상악 전치의 근관와동의 외형은 절단쪽이 밑변인 삼각형 형태로 형성한다. 초기 와동형성은 설면에 직각으로 1-2 mm 깊이로 시행하고, 이후 버의 각도를 치아의 장축에 평행하게 바꾸어 조심스럽게 치수강을 향해 삭제하도록 한다. 이때 순측면을 과도하게 제거하거나(gouging), 천공(perforation)이 발생하지 않도록 주의해야 한다. 외형은 변연융선과 절단연 및 기저결절(cingulum)을 침범하지 않도록 형성한다. 또한 치수각(pulp horn)에 남아 있는 치수를 완전히 제거해야 근관치료 후에 발생할 수 있는 치아변색을 방지할 수 있다.

1) 상악 전치 근관와동의 외형

 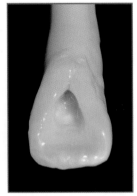

절단 쪽이 밑변인 삼각형 형태로 형성한다.

2) 상악 전치 근관와동형성 과정

1 근관와동형성 시작

초기 와동형성은 설면에 직각으로 1-2 mm 깊이로 시행한다. 이후 버의 각도를 치아의 장축에 평행하게 바꾸어 진행한다.

2 치수강에 도달 후 치수각 제거 및 외형 형성

치수강에 도달하게 되면 버가 치수강에 빠지는(drop-in) 느낌을 받을 수 있다. 치수강이 확인되면 round bur나 Endo Z bur 등을 이용하여 치수각을 제거하며 외형을 형성해 준다.

3 설측 선반(lingual shoulder) 제거

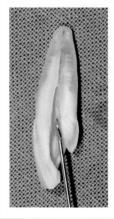

직선적인 접근(straight line access)을 얻기 위해 H-file이나 Gates-Glidden drill 등을 이용하여 설측 선반을 제거한다.

3-1 설측 선반(lingual shoulder)의 부족한 삭제

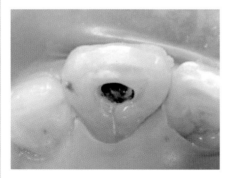

설측 선반의 삭제가 부족한 상태이다.

3-2 설측 선반(lingual shoulder) 삭제 후

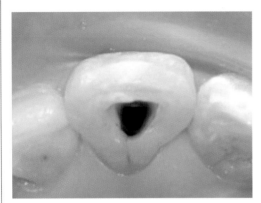

설측 선반 삭제 후 근관내 직선적인 접근이 얻어진 상태이다.

4 근관와동형성 전후 비교

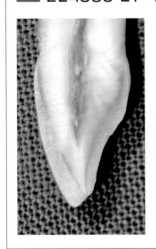 

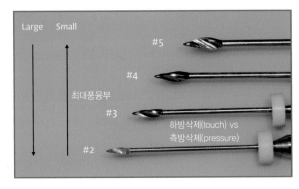

전치부의 설측 선반 부위를 제거하거나 구치부의 coronal flaring 시 Gates-Glidden drill을 사용할 수 있다. 큰 직경의 근관은 큰 번호부터, 작은 직경의 근관은 작은 번호부터 사용하는 것이 유용하고 회전속도는 700-1,500 rpm이 추천된다.

Gates-Glidden drill은 대개 최대 풍융부를 이용하여 삭제를 시행하고 하방으로 또는 동심원상으로 삭제하기보다는 측방으로, 근관 입구에서 dentin shelf 부위를 바깥쪽으로 삭제하는 것이 추천된다.

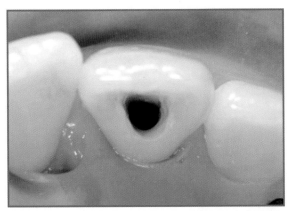

상악전치 근관와동형성 시 근원심 변연융선(marginal ridge)을 침범하지 않고 보존하는 것이 중요하다.

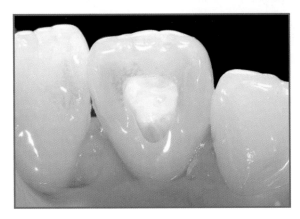

상악전치 근관와동형성 시 치수각(pulpal horn) 부위를 확실하게 삭제하는 것이 중요하다.

3. 상악 소구치

상악 소구치의 근관와동의 외형은 교합면의 중앙에 협설로 긴 타원형으로 형성한다. 치근 및 근관의 수는 대부분 상악 제1소구치에서 두 개인 반면, 제2소구치에서는 한 개의 치근에 하나 또는 두 개의 근관이 다양한 형태로 나타난다. 근관이 한 개인 경우에는 협설측으로 넓은 근관 입구 형태를 갖는다. 따라서 하나의 근관임이 확인되더라도 항상 두 개의 근관으로 간주하는 것이 유리하다.

1) 상악 소구치 근관와동의 외형

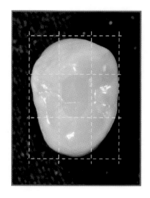 

교합면의 중앙에 협설로 긴 타원형 형태로 변연융선과 교두를 침범하지 않도록 형성한다.

2) 상악 소구치 근관와동형성 과정

1	근관와동형성 시작

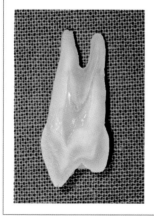 

교합면의 중앙 1/3에서 치아의 장축을 따라 와동형성을 시행한다.

2 치수강에 도달

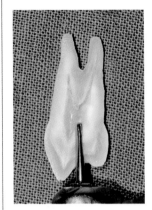

치수강에 도달하여 치수강 천정을 통과하면 버가 빠지는(drop-in) 느낌을 받을 수 있다.

3 치수각 제거 및 외형 형성

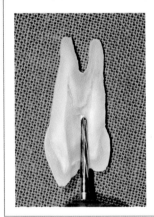

Round bur와 safety-tip을 가진 endo-Z bur를 이용하며 외형을 측방으로 넓히면서 치수각 부위를 제거해 준다.

4 근관 입구 확인

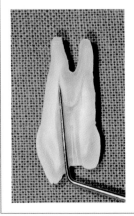 

근관탐침(endodontic explorer)을 이용하여 근관 입구를 확인한다.

---

5 **근관와동형성 완료**

근관와동형성이 완료되고 협측과 설측 근관의 입구에 직선적인 접근이 가능한 상태이다.

---

6 **근관와동형성 전후 비교**

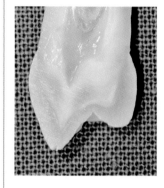 

---

3) 상악 소구치 근관와동형성 증례

1

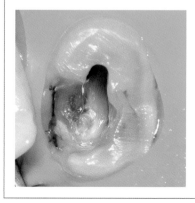

외형 형성 후 치수강내 내용물은 제거한 상태이지만 아직 gingival wall의 우식은 남아 있는 상태이다.

2

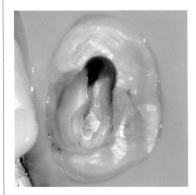

근심측의 남아 있는 우식을 제거한 후 근관 입구의 남아 있는 치수 잔사를 관찰할 수 있다. Endodontic explorer로 탐색한 후에 hand file을 넣어본다.

3

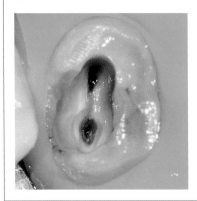

작은 크기의 hand file로 근관 확보 후 치경부 1/3 부위의 coronal preflaring을 시행하였다. 근관의 석회화가 심하지 않다면 coronal flaring 용도의 NiTi file이나 작은 크기의 Gates-Glidden drill을 사용한다.

4

Coronal flaring과 근관 성형을 시행하고 난 이후의 완성된 근관와동형태이다.

4. 상악 대구치

상악 대구치의 근관와동의 외형은 삼각형으로 형성하며 기저면은 협측을 향하고 끝은 설측을 향하며 치아의 근심측 2/3 내에 위치한다. 변연융선을 포함해서는 안 되며 사주 융선을 넘어가지 않도록 주의한다. 근심협측 치근은 협설측 방향으로 넓고 흔히 두 개의 근관을 포함한다. 근심협측 제2근관(MB2 canal)에 대해서는 이 장의 뒷부분에 기술하였다.

1) 상악 대구치 근관와동의 외형

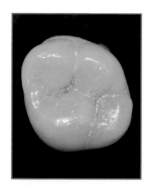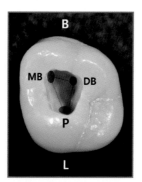

기저면이 협측인 삼각형 외형으로 형성하며 변연융선을 포함하지 않고 사주융선을 넘어가지 않도록 형성한다.

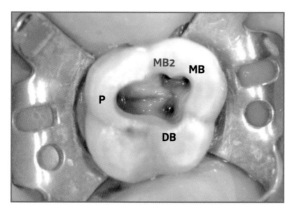

상악 대구치에서 흔히 보이는 MB2 canal을 포함한 근관와동의 예

2) 상악 대구치 근관와동형성 과정

---

1 **근관와동형성 시작**

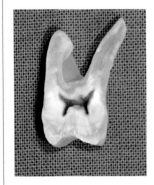 

교합면의 중앙에서 시작하며 가장 부피가 큰 구개측 근관을 향해 접근하는 것이 유리하다.

---

2 **치수강에 도달**

치수강에 도달하여 치수강 천정을 통과하면 버가 빠지는(drop-in) 느낌을 받을 수 있다.

---

3 **치수각 제거 및 외형 형성**

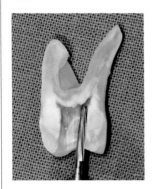 

Endo Z bur와 같은 safety-tip bur를 이용하여 외형을 측방으로 넓히면서 치수각 부위를 제거해 준다.

4 근관 입구 확인

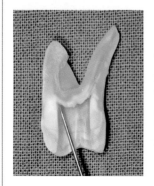 

근관탐침(endodontic explorer)을 이용하여 근관 입구를 확인한다.

5 근관와동형성 완료

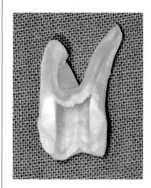

근관와동형성이 완료되고 협측과 설측 근관 입구에 직선적인 접근이 가능한 상태이다.

6 근관와동형성 전후 비교

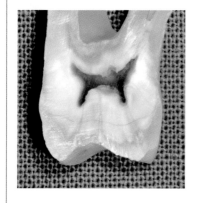 

5. 하악 전치

하악 전치의 근관와동의 외형은 상악 전치와 유사하나 더 길쭉한 삼각형의 형태로 형성한다. 하나 또는 두 개의 근관이 있을 수 있고, 두 개의 근관이 있을 경우 순측 근관이 더 찾기 쉬우며 설측 근관은 종종 설측 선반에 의해 가려져 있다. 와동형성 과정은 상악 전치와 동일하나 치아의 크기가 작아 치아의 장축을 따라 삭제하지 않는 경우 인접면으로의 천공이 쉽게 발생할 수 있으므로 주의해야 한다. 경우에 따라서는 절단연(incisal edge)을 포함한 외형을 추가로 넓혀줄 필요가 있다. 교모되어 있거나 지대치가 삭제된 경우는 절단연에서 근관와동을 형성하는 것이 근관 확보와 치질 보존 측면에서 유리할 수 있다.

1) 하악 전치 근관와동의 외형

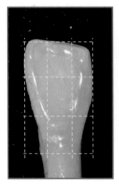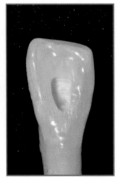

상악 전치와 유사하나 더 길쭉한 삼각형 형태로 형성한다.

2) 하악 전치 근관와동형성 과정(근관이 두 개인 경우)

| 1 | 근관와동형성 시작 |

초기 와동형성은 설면에 직각으로 1–2 mm 깊이로 시행한다. 이후 버의 각도를 치아의 장축에 평행하게 바꾸어 진행한다.

2 치수강에 도달

치수강에 도달하게 되면 버가 치수강에 빠지는(drop-in) 느낌을 받을 수 있다.

3 치수각 제거 및 외형 형성

치수강이 확인되면 round bur나 Endo Z bur 등을 이용하여 치수각을 제거하며 외형을 형성해 준다.

4 순측 근관 확인 및 설측 선반 제거

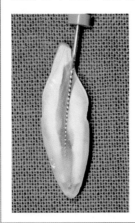

순측 근관을 확인하고, 직선적인 접근을 확보하고 설측 근관에 접근하기 위해 Gates-Glidden drill이나 H-file 등을 이용하여 설측 선반(lingual shoulder)을 제거한다.

5 설측 근관 확인 및 근관와동형성 완료

설측 선반(lingual shoulder)이 제거되어 설측 근관이 확보되고 근관형성이 완료되었다.

6 근관와동형성 전후 비교

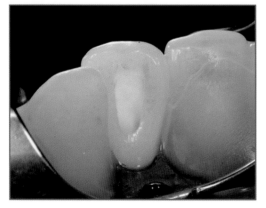

하악전치 근관와동 형성 시 치수각(pulp horn) 부위를 확실하게 제거하는 것이 중요하다.

일반적인 하악 전치 근관와동의 예

2개의 근관이 확보된 하악 전치 근관와동의 예

교모된 치아에서 절단연 측에서 형성된 하악 전치 근관와동의 예

6. 하악 소구치

하악 소구치의 근관은 대부분 한 개의 근관과 치근단공을 가지나 가끔 두 개 또는 세 개의 근관이 있을 수 있다. 하악 소구치의 치관은 치근에 비해 약간 설측으로 경사져 있으며 하악 제1소구치의 근관와동의 외형은 협설측으로 타원형이고 중심구에서 협측으로 위치한다. 하악 제2소구치의 근관와동 외형은 협설측으로 긴 타원형이고 중앙에 위치한다.

1) 하악 제1소구치와 제2소구치의 치관 경사 비교

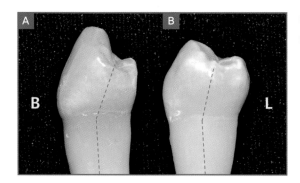

(A) 하악 제1소구치
(B) 하악 제2소구치

2) 하악 제1소구치의 근관와동 외형

 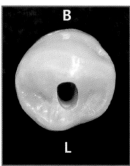

중심구에서 약간 협측에서 협설측으로 긴 타원형으로 형성한다.

3) 하악 제2소구치의 근관와동 외형

중심구에서 협설측으로 긴 타원형으로 형성한다.

4) 하악 소구치 근관와동형성 과정

1	근관와동형성 시작

협측 교두의 설측 사면이나 교합면의 중앙에서 시작한다.

2	치수강에 도달

치수강에 도달하여 치수강 천정을 통과하면 버가 빠지는(drop-in) 느낌을 받을 수 있다.

3 치수각 제거 및 외형 형성

Round bur와 Endo Z bur와 같은 safety-tip bur를 이용하여 외형을 측방으로 넓히면서 치수각 부위를 제거해 준다.

4 근관와동형성 완료

근관와동형성이 완료되고 근관 입구에 직선적인 접근이 가능한 상태이다.

5 근관와동형성 전후 비교

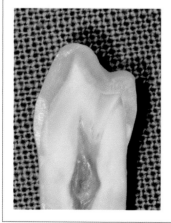

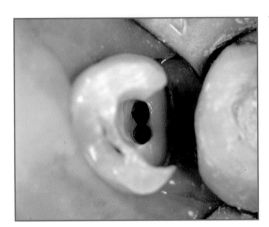

협설로 2개의 근관을 갖는 하악 소구치 근관와동의 예

🦷 7. 하악 대구치

하악 대구치에서 가장 흔한 형태는 근심 치근에 두 개의 근관, 원심 치근에 하나의 근관이며 근관와동의 외형은 사다리꼴의 외형으로 형성한다. 원심 근관이 두 개일 때는 좀 더 사각형의 외형으로 형성한다. 하악 제1대구치에서는 약 25% 정도에서 원심설측 치근이 따로 존재하는 것으로 보고된다. 하악 제2대구치에서는 C형 근관이 자주 나타나므로 술전 방사선 사진을 면밀히 분석하는 것이 중요하다. 하악 대구치의 근관와동형성 과정의 세부 사항은 기본과정을 참고하길 바란다.

1) 하악 대구치 근관와동의 외형(원심근관이 하나인 경우)

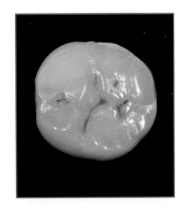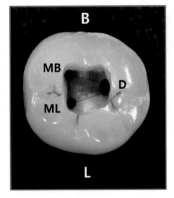

2) 하악 대구치 근관와동의 외형(원심근관이 두 개인 경우)

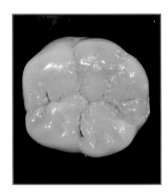 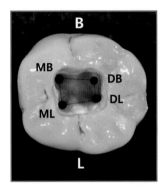

3) 하악 대구치 근관와동형성 과정

1 근관와동형성 시작	
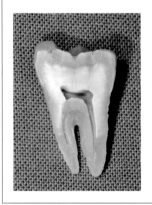 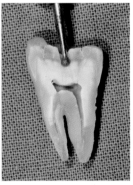	교합면의 중앙에서 시작하며 가장 부피가 큰 원심측 근관을 향해 접근하는 것이 유리하다.

2 치수강에 도달	
	치수강에 도달하여 치수강 천정을 통과하면 버가 빠지는(drop-in) 느낌을 받을 수 있다.
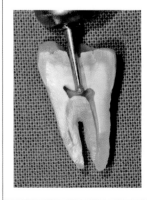	

3 치수각 제거 및 외형 형성

 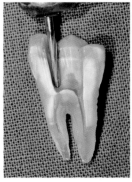

Round bur와 Endo Z bur를 이용하며 외형을 측방으로 넓히면서 치수각 부위를 제거해 준다.

4 근관 입구 확인

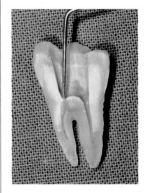 

근관탐침(endodontic explorer)을 이용하여 근관 입구를 확인한다.

5 근관와동형성 완료

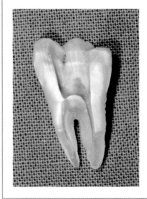 

근관와동형성이 완료되고 근관 입구에 직선적인 접근이 가능한 상태이다.

6 근관와동형성 전후 비교

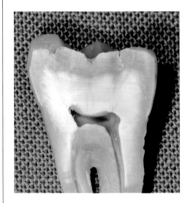 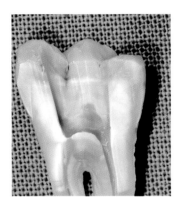

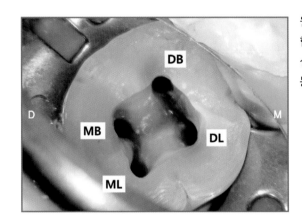

원심설측 치근과 근관이 따로 존재하는 경우에는 종종 근심협측과 근심설측 근관 입구 사이 거리보다 원심협측과 원심설측 근관 입구 사이 거리가 더 긴 사다리꼴 외형의 근관와동이 형성된다.

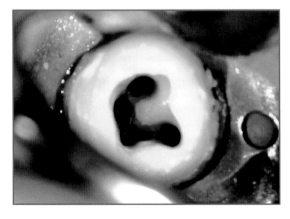

C형 근관형태를 보이는 하악 제2대구치 근관와동의 예

🦷 8. 석회화된 근관 접근법

   연령증가와 우식, 균열, 수복물 등의 자극에 의한 치수강의 석회화는 근관치료를 어렵게 하는 요소 중 하나이다. 하지만 근관와동형성의 기본과정을 다시 한 번 숙지하고 진행한다면 석회화된 근관을 치료할 때 많은 도움이 될 것이다. 본 실습서에서는 석회화된 상악 대구치와 하악 대구치에서 근관와동형성과 근관을 찾는 과정과 더불어 상악 대구치에서 근심 협측 제2근관을 찾는 과정을 예시로 보이고자 한다.

1) 상악 대구치 증례 1

1

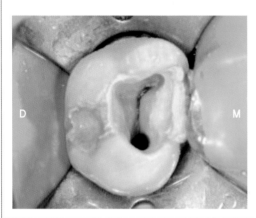

기본적인 외형을 유지하면서 하방으로 진행하고 가장 큰 체적을 보이는 구개측 근관으로 접근을 시도하여 근관을 확보하고 치경부 1/3 부위의 확대를 시행하면 이개부 측으로 연결되는 치수강저의 양상을 관찰할 수 있다.

2

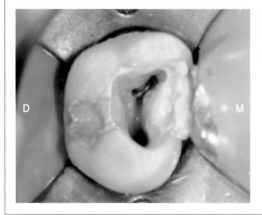

치수강저의 색조는 건전한 상아질에 비해 훨씬 어둡고 진한 색조를 보이므로 이러한 단서들을 이용하여 협측으로 조금씩 진행하면서 근관의 입구로 접근한다.

3

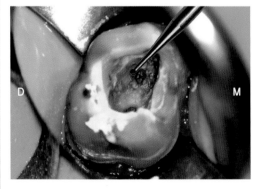

삭제 가능한 부위를 확실하게 판단할 수 없는 경우에는 근관이 있을 것이라고 추정하여 치질을 삭제하지 말고 상부 치수벽의 이개도를 늘려서 충분한 조명 하에서 삭제할 부위를 판단한 후 진행해야 한다.

2) 상악 대구치 증례 2

1

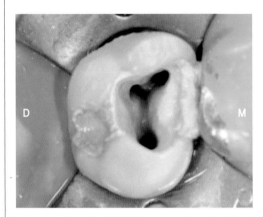

근관와동형성 후 원심협측근관의 석회화가 관찰되며 이 상태에서 hand file을 무리하게 진입시키면 치경부 1/3 부위에서의 만곡으로 인해 진입이 불가능하거나 원치 않는 ledge를 형성할 수 있다.

2

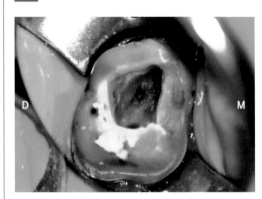

적절한 크기의 long shank round bur를 이용하여 원심부의 dentin shelf를 얇게 해준다.

3

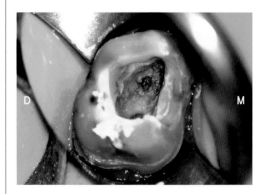

원심 근관 입구 부위의 삭제가 이루어져 dentin shelf가 얇아진 모습이 관찰된다.

4

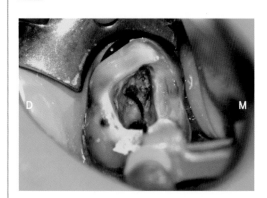

작은 크기의 hand file을 근관 입구에 진입시키고 push and pull motion으로 얇아진 dentin shelf 부위의 삭제를 시도한다.

5

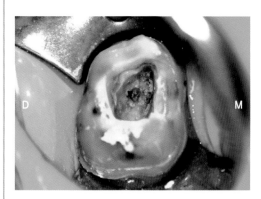

2-3회의 stroke로도 얇아진 dentin shelf는 쉽게 삭제되어 coronal preflaring이 가능하다. 그 후 hand file을 진입시켜 작업장을 설정하고 NiTi file을 이용하여 성형한다.

6

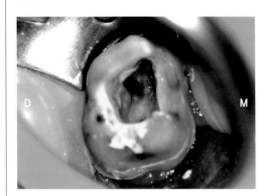

원심 협측 근관의 성형이 이루어진 상태이다.

3) 상악 대구치 근심협측 제2근관(MB2 canal)

상악 대구치의 MB2 canal은 임상에서 근관 석회화로 인해 치료에 어려움을 느끼는 대표적인 해부학적 형태 중 하나이다. 그러나 적절한 근관와동형성만으로도 MB2 canal을 찾고 치료할 수 있으며, CBCT와 치과용 현미경 등의 장비들로 인해 더욱 쉽게 MB2 canal을 확인하고 치료할 수 있게 되었다. MB2 canal 의 위치에 대한 힌트는 다음과 같다.

1) 대개의 경우 근관의 coronal flaring이 완료된 상태에서 DB canal과 P canal을 잇는 선과 MB canal 과 MB2 canal을 잇는 선이 평행하게 주행한다.
2) MB canal에서 구개측으로 주행하는 isthmus 선상에 MB2 canal이 위치한다.

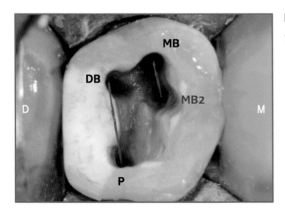

DB canal과 P canal을 잇는 선과 MB canal과 MB2 canal을 잇는 선이 평행하게 주행한다.

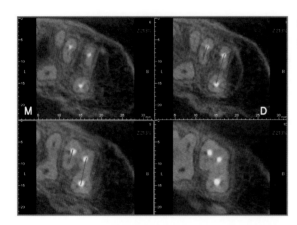

CBCT 사진의 횡단면을 보면 MB root가 DB canal과 P canal을 잇는 선과 평행한 방향으로 주행함을 알 수 있다.

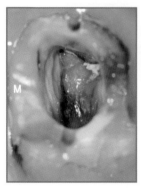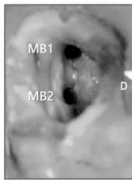

MB canal에서 구개측으로 주행하는 isthmus나 orifice map 선상에 MB2 canal이 존재한다.

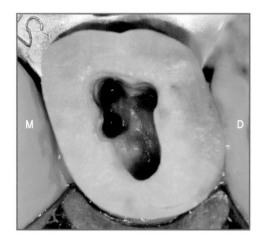

상악 대구치에서 흔히 발견되는 MB2 canal을 포함한 근관와동의 예

(1) MB2 근관 찾는 과정 1

1

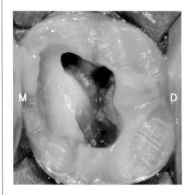

MB, DB, P canal의 입구를 확대한 상태에서 MB2 canal의 존재 여부를 판단해 본다. MB canal에서 구개측 방향에 존재하는 dentin shelf 하방과 치수강저 사이에 dentin debris가 관찰된다.

2

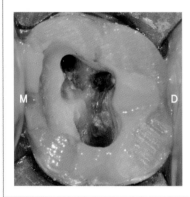

DB canal과 P canal을 잇는 선과 평행한 방향으로 MB canal에서 구개측으로 4번 long shank round bur를 이용하여 dentin shelf를 조심스럽게 삭제하면 isthmus가 좀 더 확실하게 관찰된다.

3

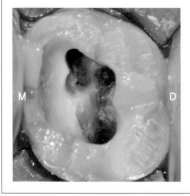

Isthmus 사이에 가는 hand file을 상부에만 가볍게 적용해본다. 이때 무리해서 근단쪽으로 힘을 가하면 기구의 파절이나 ledge가 형성될 수 있으니 주의해야 한다. 적용한 hand file의 shaft가 근관와동 내에 위치하지 않고 반대편 근관벽에 접촉되는 상황에서는 절대 강한 수직력을 가하지 않도록 주의해야 한다.

4

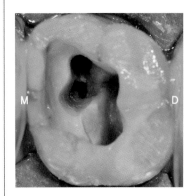

MB2 canal의 근관 성형 및 편의 형태의 형성이 완료된 상태이다.

(2) MB2 근관 찾는 과정 2

1

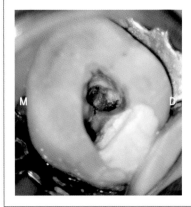

상악 대구치의 석회화로 근관이 확보되지 않아 의뢰된 환자로 치수강 및 치수강저 부위의 석회화가 관찰된다.

2

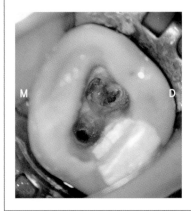

근관와동의 외형을 수정함으로써 치수강저가 관찰돼도 근관 입구로 추정되는 위치를 확인할 수 있게 되었다.

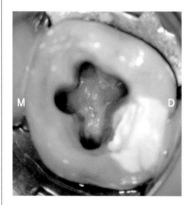

3

근관 성형을 어느 정도 시행한 후 외형과 연결되는 편의 형태(convenience form)를 부여해 줌으로써 straight line access를 확보하고 기구의 접근을 용이하게 해 줄 수 있다.

4

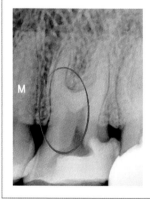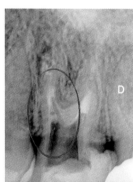

치료 전후 사진으로 dentin shelf가 제거되고 근관이 확보되었다.

(3) MB2 근관 찾는 과정 3

1

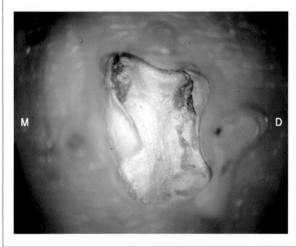

발치된 상악 대구치에서 근관와동형성 후 치수강저의 상태를 관찰해보면 dentin shelf를 확인할 수 있다. 이 부위를 제거함으로써 각 근관으로의 기구 접근을 용이하게 할 수 있다.

2

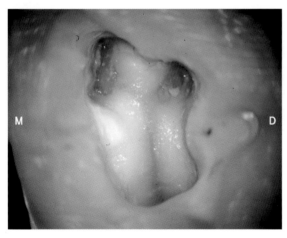

Dentin shelf를 일부 제거하는 것만으로도 근관으로의 접근성이 쉽게 향상되는 것을 확인할 수 있다.

(4) MB2 근관 찾는 과정 4

1

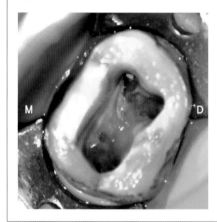

MB2 canal이 확보되지 않은 상태이다.

2

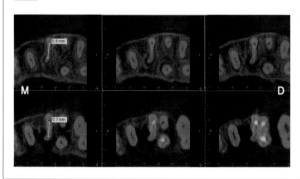

CBCT의 axial 단면에서 MB2 canal이 MB canal에서 상당히 구개측으로 멀리 위치함을 확인할 수 있다. 이와 같이 근관치료 시 CBCT의 활용은 해부학적 형태의 파악에 많은 도움을 준다.

3

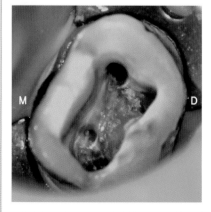

Long shank round bur를 이용하여 dentin shelf를 얇게 만들어준다.

4

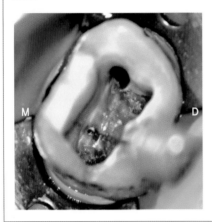

MB2 canal의 입구를 확보하고 No. 8 K-file을 이용하여 근단부로 진행하였다.

5

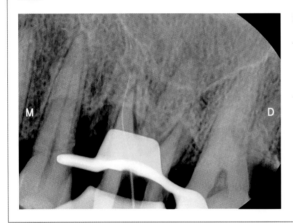

전자근관장측정기를 이용하여 작업장을 측정하고 방사선 사진을 촬영하여 확인하였다.

6

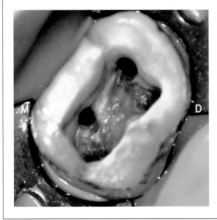

MB2 canal에 대한 근관 성형을 완료하였다.

4) 하악 대구치 증례

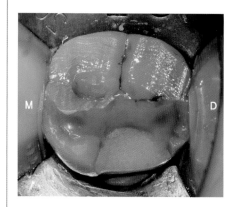

하악 대구치의 경우 원심 근관의 체적이 가장 크기 때문에 원심 근관의 입구측을 먼저 공략하는 편이 유리하다.

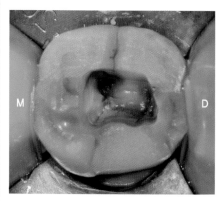

근심 근관에서는 근심 설측 근관의 석회화가 덜 심한 경우가 많으므로 근심설측 근관의 입구쪽을 먼저 확보하게 되는 경우가 많다.

Dentin shelf의 제거

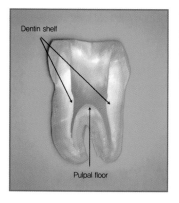

상부의 석회화가 심한 경우 hand file이 진행되지 않는 경우가 대부분이다. 이러한 경우 치수강저 상방은 long shank round bur를 사용하고 하방은 초음파 기구를 사용하는 것이 유리하다. 두 기구 모두 근관 입구를 바로 확보하는 것이 아니라 dentin shelf를 얇게 만드는게 주 역할이라 할 수 있다.

Precurved file 사용

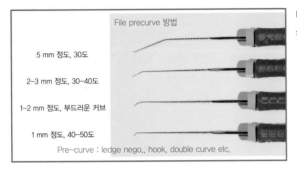

File precure 방법

5 mm 정도, 30도

2-3 mm 정도, 30-40도

1-2 mm 정도, 부드러운 커브

1 mm 정도, 40-50도

Pre-curve : ledge nego., hook, double curve etc.

대개의 경우 precurved file을 사용할 필요는 없지만, 필요한 경우라면 precurved file을 만들어 사용할 수 있다.

3

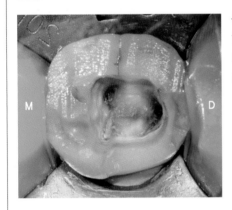

근관 입구를 추정하여 삭제하지 말고 치수벽의 이개도를 조절하여 충분한 광원이 치수강저에 진입할 수 있도록 한 후에 삭제할 부위를 결정한다. 이때 대칭의 법칙을 비롯한 근관 입구의 법칙을 참고하는 것이 도움이 된다.

4

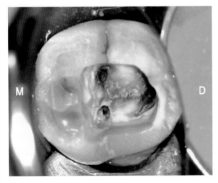

삭제할 부위를 확인하고 조심스럽게 삭제한 결과 근관의 입구로 추정되는 부위를 확인할 수 있다.

5

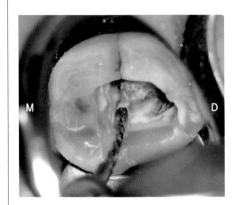

작은 크기의 hand file이나 NiTi file을 상부에만 진입시켜 coronal preflaring을 시행하여 다음에 사용하는 기구의 접근을 용이하게 한다.

6

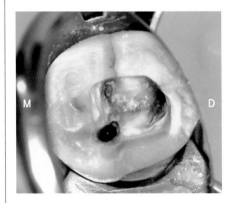

근심 협측 근관 입구의 성형이 완료된 모습이다.

CHAPTER **03**

근관 성형

03 근관 성형

🦷 1. 근관 성형의 기본 원칙

3차원적으로 확실한 근관 충전을 위해 각 근관을 적절한 형태로 만드는 것을 근관 성형이라고 한다. Hand file이나 rotary NiTi file에 의해서 근관 성형하는 것을 shaping이라고 하며 이를 "mechanical instrument"이라고도 한다. 또한 근관 내의 유기 물질, 삭제된 상아질 잔사와 세균을 화학적으로 제거하는 것을 cleaning 또는 "chemical instrument"라고 하며 이 둘을 합쳐 "chemo-mechanical preparation"이라고 한다. Chemo-mechanical preparation은 근관 성형을 하는 과정에서 동시에 시행하는 것이 일반적이다.

근관 성형을 하는 목적은 크게 두 가지로 생각해 볼 수 있는데, 첫째는 생물학적인 측면에서 고려할 때 근관계에서 세균이나 세균의 배지로 이용될 수 있는 치수 조직을 최대한 많이 제거하는 것이다. 이 과정에서 치근단공 밖의 치주 조직으로 세균이나 세균에 의한 부산물이 최대한 나가지 않도록 해야 한다. 둘째는 근관치료를 하는 기술적인 측면에서 고려할 때 근관 성형은 근관 세척을 보다 용이하고 효과적으로 할 수 있게 하고 근관 충전의 질을 향상시키는 데 도움이 된다.

근관 성형의 기본 원칙은 Dr. Schilder가 주장한 다음을 따르는 것이 일반적이다.

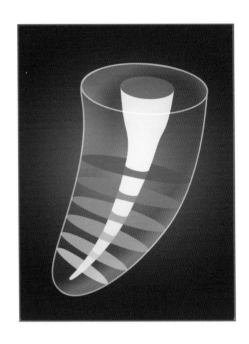

1) 근관 성형은 근관의 상부에서 치근단공으로 갈수록 균일하게 좁아지는 모양이어야 한다.

2) 근관 성형 과정에서 원래의 근관(path of original canal)을 유지해야 한다.

3) 원래의 근관에 여러 개의 평면이 존재할 경우 흐름의 개념(concept of flow)으로 원뿔 형태(conical canal preparation)가 되도록 근관 성형을 시행한다.

4) 치근단공의 위치가 바뀌지 않게 한다.

5) 치근단공의 크기는 최대한 작게 유지해야 한다.

2. Canal scouting, Glide path & Apical patency

치수강 개방 이후 근관을 모두 찾았다면 file이 들어가는 길을 만들어 주는 단계인 glide path를 형성해야 한다. Glide path는 이후에 사용하는 기구들이 들어가는 방향을 정해주는 역할을 하고 특별히 NiTi file의 separation을 예방하는 데 도움을 준다.

대개 glide path는 얇은 hand file 또는 hand/NiTi file 조합으로 시행하는 것이 일반적이다. File이 처음으로 근관 안으로 들어갈 때는 #10 hand file이 가장 적절하다.

일반적으로 어느 정도 너비가 있는 근관이라면 glide path를 형성하는 것에 큰 어려움은 없겠지만 석회화나 만곡이 있는 경우라면 glide path를 형성하는 단계부터 난관이 있을 수 있다. #10 hand file을 근관에 넣었을 때 근관의 석회화나 만곡이 너무 심한 경우라면 이보다 낮은 #8, #6 hand file을 사용하여 재시도한다.

근관치료 과정 중 롤러코스터에서 철로 같은 역할을 하는
glide path

치근단 방사선 사진을 통해 근관의 형태를 유심히 관찰하면 glide path 형성이 어려울지 아닐지 어느 정도는 예상할 수 있으나 더 정확히는 #10 hand file을 근관 안에 넣은 후 손으로 느껴지는 감각 즉, tactile sense를 통해 이것을 확실히 알 수 있다. 이처럼 glide path를 형성하기 위한 첫 단계로서 canal scouting 과정이 필요하다.

Canal scouting이란 근관 내부가 어떤 상태인지 #10 hand file 같이 얇은 기구를 이용하여 근관 내부를 탐침하는 과정으로 일반적으로 watch winding motion으로 조금씩 치근단 부위로 내려가면서 근관 내부에 석회화나 만곡의 여부 혹은 불규칙적인 부분이나 급격하게 꺾이는 부위의 존재를 확인하는 과정인데 과하게 힘을 주면 아무리 얇은 #10 hand file이라도 근관이 찍히면서 ledge를 만들 수 있으니 가급적 힘을 뺀 상태로 부드럽게 시행한다. Canal scouting 과정에서 무리 없이 apical patency가 확보된다면 근관치료는 훨씬 수월하게 진행할 수 있다. 반면에 apical patency가 확보되지 않는다면 근관의 상부를 다시 확대하고 apical patency를 얻기 위한 과정을 시행해야 하는데 이는 canal negotiation에서 자세하게 논하기로 한다.

Apical patency란 #10 hand file을 근관장보다 약 1 mm 길게 하여 치근단 공이 치수 조직이나 상아질 잔사로 막히지 않게 열어주는 것이다. 따라서 apical patency를 위해서는 잠정적인 근관장(tentative working length, TWL)을 측정하면서 시행해야 한다. 잠정적인 근관장은 근관 입구를 확대하는 coronal preflaring 과정 이후에 짧아질 수 있으므로 straight line access를 형성한 후에 근관장을 다시 측정하는 것이 좋다.

또한 apical patency는 근관 성형을 하는 과정에서 근관 세척과 함께 주기적으로 행해져야 하는데 그 이유는 ledge나 transportation 같은 canal aberrations이 발생하는 것을 예방하는데 매우 유용하기 때문이다.

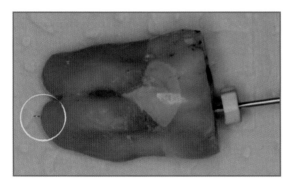

발치된 치아에서 apical patency를 확보한 모습

#10 hand file로 canal scouting을 통해 근관 내부를 확인하고 무난하게 apical patency까지 확보되었다면 본격적으로 glide path를 형성한다. Glide path 형성의 1차적인 목표는 #10 hand file이 헐겁게 느껴질 정도(super loose)로 잠정적 근관장까지 근관을 넓히는 것이다. #10 hand file로 근관장까지 진입하였으니 #15, 20 hand file로 근관장의 약 2/3 지점까지 "up and down"의 filing motion을 통해 근관 입구 부위를 넓힌다. 그런데 이 과정을 전략 없이 시행하면 자칫 근관 벽에 ledge를 만들 수도 있는데 anti-curvature filing 개념을 접목해서 시행하는 것이 좋다. 근관 내로 들어갈 때는 조심스럽게 들어가고 근관 밖으로 나올 때는 근관 이름과 같은 방향의 근관 벽을 긁으면서 나오면 된다. 다른 방법으로 glide path를 위한 NiTi file을 사용하는 방법도 있다. 다만, NiTi file은 hand file에 비해 file separation 되는 비율이 높으므로 항상 주의해서 사용해야 한다.

Pathfile

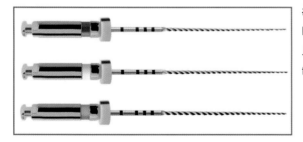

#13/02, #16/02, #19/02
NiTi file tip 크기가 "#13"이고 taper가 "02"일 때 "#13/02"로 표기한다. 참고로 일반적인 hand file의 taper는 "02" taper이다.

ProGlider

#16/progressive taper

Taper가 일정하지 않고 NiTi file tip에서부터 shank로
가면서 점점 증가할 때 "progressive taper"라고 한다.

Hyflex EDM Glidepath

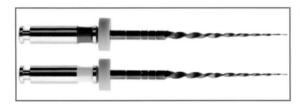

#10/05, #15/03

One G

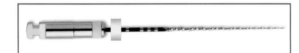

#14/03

Glide path용으로 사용할 수 있는 NiTi file 중 대표적인 것들은 다음과 같다.

Dentsply Sirona의 Pathfile은 총 3개로 구성돼 있고 사용 방법은 #10 hand file을 사용하여 잠정적인 근관장을 측정한 후에 #13/02, #16/02, #19/02 순서로 근관장까지 사용한다. 이것이 번거로울 때 같은 회사 제품인 ProGlider를 사용하여 근관장까지 도달하면 되는데 ProGlider는 .02에서 .08까지 점점 커지는 taper를 가지고 있어 한 번에 3개의 Pathfile이 하던 일을 할 수 있도록 디자인되었다. Coltene의 Hyflex EDM Glidepath #10/05, #15/03은 electrical discharge machining (EDM)이라는 특수한 공정으로 인해 cyclic fatigue에 저항하는 힘이 다른 NiTi file보다 뛰어나다는 연구 결과가 많다. 또한 2개의 file이 다른 taper로 만들어져서 #10/05는 주로 근관의 상부를 넓히고 #15/03는 주로 근관의 치근단 부위를 넓혀준다. 이는 EDM 공정과 함께 file separation의 가능성을 줄여주는 역할을 한다. MicroMega의 One G는 전통적인 NiTi alloy로 제작되었고 비대칭적인 단면을 가지고 있다. 비대칭적인 단면은 근관에 닿는 부분을 줄여주는 역할을 하지만 heat treatment 된 NiTi file에 비해 torsional stress와 cyclic fatigue 모두에서 안 좋은 결과를 보인다. 또한, glide path를 위한 NiTi file이 1개로 구성된 제품은 glide path를 형성하는 과정에서 1개의 NiTi file이 많은 일을 하게 되므로 가급적 사용 횟수를 줄이는 것이 안전하다. 근관치료를 제대로 시작하기 전에 glide path용 NiTi file이 separation된다면 돌이킬 수 없는 경우가 있을 수 있으니, 최대한 주의해서 사용해야 하고 일반 NiTi file에 비해 사용 횟수를 줄이는 것이 안전할 것이다.

#10 hand file을 근관에 넣었을 때 손끝에 저항감이 별로 느껴지지 않는다면 몇 번 사용했던 - 한 번 사용한 file은 확실한 세척과 멸균 과정을 거친 후에 재사용하는 것이 바람직하다 - glide path용 NiTi file을 사용해도 무방하지만 만약 강한 저항감이 느껴진다면 가급적 새 것을 사용하는 것이 좋다. 그리고 hand file과 NiTi file을 적절히 혼용해서 사용하는 hybrid technique은 glide path 형성 외에도 근관 성형하는 전 과정에서 술자의 머릿속에 늘 옵션으로 가지고 있는 것이 좋다. Hand file과 NiTi file은 사용 순서가 정해져 있는 것이 아니라 언제든지 상보적 관계임을 잊어서는 안될 것이다.

가령, 얇은 hand file과 Hyflex EDM Glidepath를 hybrid technique으로 사용한다고 가정해보자. #10 hand file로 canal scouting을 하여 근관 내부에 방해 요소들은 없는지 확인하고 큰 문제가 없어서 apical patency가 확보되면 TWL를 측정하게 된다. 이때 #10 hand file이 근관 내에서 느슨해질 정도로(super loose)로 넓혀주는 것이 좋다. 그러면 전 근관에 걸쳐 #10 hand file 크기 이상으로 근관이 넓혀진 셈이 된다. Hyflex EDM Glidepath #10/05 끝 부분은 #10 크기이므로 근관 내부 어느 곳에서도 file tip이 근관에 맞물리지 않게 되고 05 taper를 가지므로 근관의 상부를 넓혀주는 역할을 하게 된다. 그런데 만약 #10 file이 겨우 들어갈 정도로 근관이 좁아서 #10/05를 사용할 때 손끝에 저항감이 온다면 즉각 사용을 중지하고 hand file #15로 근관을 더 넓힌 후에 - hand file #15에 저항감이 크다면 mid-size file인 #12을 사용하면 좋다 - #10/05를 다시 사용하는 것이 좋다. 그리고 glide path용 NiTi file을 사용할 때는 모든 file을 사용할 때와 마찬가지로 anti-curvature filing으로 dentinal collar를 제거하면서 근관의 상부를 넓혀준다. 이후 #15/03을 사용하면 TWL까지 최소 #15까지 넓혀주게 되는데 이후에 #15, 20 hand file을 사용하여 추가적으로 근관 입구를 더 넓혀주면 glide path 형성이 완료된다.

이렇게 hand file과 NiTi file을 모두 사용하는 것은 실제 임상에서 매우 번거로운 과정일 수 있다. 그러나 증례에 따라서 꼭 필요한 경우도 있으니 술자는 자신의 능력에 맞게 임상의 편의성과 술식의 안정성 사이에서 항상 고뇌하면서 진료하게 된다.

근관치료, 특별히 근관 성형을 하는 전 과정에서 반드시 지켜야 하는 점들이 있다.

첫째, hand file과 NiTi file 모두 근관 안에 넣을 때는 RC-prep 같은 근관 윤활제(canal lubricant)를 사용한다. 근관 윤활제를 사용하는 경우 근관 벽과 사용하는 file 사이에서 발생하는 마찰력이 줄어들어 file에 가해지는 힘이 줄어들게 되므로 file separation 비율을 낮춰줄 뿐만 아니라 file의 삭제력을 증가시켜주는 부가적인 장점도 있다. 따라서 모든 file이 근관 내로 들어갈 때는 반드시 근관 윤활제와 함께 사용하면 보다 안전하면서 효율적인 근관 성형이 가능해진다.

둘째, NaOCl 같은 근관 세척액을 근관 안에 넣어둔 상태에서 기구를 조작해야 하고 수시로 근관 세척을 시행한다. NaOCl은 괴사된 치수 조직을 용해시키고 세균 및 biofilm을 파괴하는 역할 외에도 근관 윤활제 역할을 하여 사용하는 file이 받는 마찰력을 줄여준다. 또한 근관 성형 과정에서 발생하는 유기 부유물이나 상아질 잔사를 수세하는 역할을 하여 근첨이 막히는 것을 예방할 수 있다. 그러므로 근관 성형은 반드시 근관이 NaOCl로 가득 채워져 있는 상태에서 시행해야 하며 가급적 file이 근관 내로 들어갔다 나오면 근관 세척을 추천한다.

셋째, patency filing을 수시로 시행한다. Apical patency는 근관 형성 과정에서 근첨이 막히는 것을 예방하기 위해 시행하는 술식이라고 언급하였다. Glide path 형성 과정에서 apical patency를 어렵게 시행한 이후에 방심하게 되면 patency를 잃게 된다. 이렇게 되면 ledge나 transportation 같은 canal aberrations이 발생할 가능성이 높아지고 근관장이 짧아지게 되면서 근관치료에 어려움이 발생할 수 있다. 또한 이를 해결하기 위해 많은 노력이 소모되며 결국 해결하지 못하고 근관치료를 마치게 되는 경우도 있다. 이렇게 되면 근관치료의 예후에도 안 좋은 영향을 미칠 수 있으므로 apical patency filing은 근관 성형을 하는 전 과정에서 수시로 시행하여야 한다.

넷째, 기구 조작은 번호를 건너뛰지 않는다. 가령, #10 hand file을 사용했으면 다음에는 #15(또는 mid-size file인 #12)을 사용해야지 #10 이후에 #15을 건너뛰고 #20을 사용하는 것은 바람직하지 않다. 모든 file은 ISO 규정에 따르면 file 번호로 ±2만큼의 허용치가 있다. 즉, #10 file은 #8에서 #12까지 #10 file로 인정된다는 것이다. 이렇게 file에 허용치가 있기 때문에 근관치료를 하는 어떤 날은 #10 file을 잡았는데 크기가 #8일 수 있고 또 다른 날에는 #12 file을 잡게 되는 경우가 존재할 수 있는 것이다. 만약 #10 file 사용 이후에 #20 file을 사용하게 되면 자칫 #8(#10의 가장 낮은 허용치) file을 사용한 후에 #22(#20의 가장 높은 허용치) file을 사용하는 경우가 발생하게 되고 – 발치된 치아에서 #10 file 사용 이후에 #20 file을 사용해 보라. 너무 힘들다는 것을 쉽게 인지할 수 있을 것이다 – 2개의 file 차이가 너무 크기 때문에 여러 가지 문제가 발생할 수 있고 문제가 생기면 오히려 더 많은 수고가 필요할 수 있으니 기구 조작 시 file 번호를 건너뛰지 않는 것이 좋다.

3. Straight line access

1) GGB를 이용한 straight line access

Glide path가 형성되었으면 straight line access를 위한 준비 작업이 완료된 것이다. Straight line access 란 근관 입구에 존재하는 dentinal collar를 확실히 제거하여 치관부에서 근관까지 최대한 일직선이 되도록 만들어 주는 술식이다. 이를 위한 대표적 기구인 GGB (gates glidden bur)는 핸들 부위에 음형의 가로 줄로 기구의 번호(#1-6)를 나타낸다.

근관은 orifice level 이하에서 3부분인 coronal 1/3, middle 1/3, apical 1/3로 나누는데 GGB는 주로 coronal 1/3를 넓히는데(straight line access를 형성하는데) 사용된다.

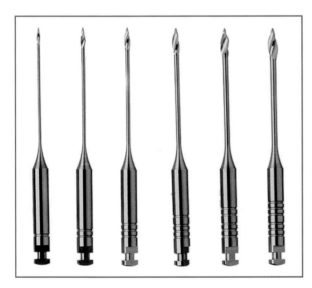

GGB #1-6

참고로 GGB의 크기는 #1 GGB는 #50이고 #6 GGB까지 크기가 #20씩 커진다. 따라서 #2 GGB: #70, #3 GGB: #90, #4 GGB: #110, #5 GGB: #130, #6 GGB: #150이다. GGB의 길이는 28 mm, 32 mm가 있고 임상가의 편의에 따라 선택할 수 있다.

GGB를 적절하게 사용하면 다음 사진의 빨간 부분인 dentinal collar가 제거되어 치관 부위부터 근관까지 상대적으로 직선화(straight line access)되고 근관의 coronal 1/3 부위가 확대된다. 그러면 이후에 사용되는 hand/NiTi file 활용이 훨씬 용이해진다.

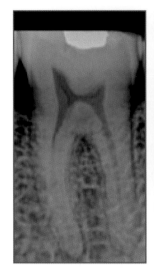 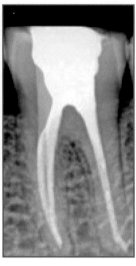

Dentinal collar가 제거된 모습

근관 충전까지 완료한 모습을 보면 왼쪽 사진에 빨간색으로 표시된 dentinal collar가 제거되고 그 부위의 상아질이 좀 더 삭제된 것을 보라색 표시로 볼 수 있다. 이렇게 straight line access가 잘 형성되면 근관치료를 보다 용이하게 할 수 있다.

Endo motor에 GGB를 넣고 RPM을 약 750-1,000으로 맞추고 dentinal collar를 제거한다는 목표로 사용한다. GGB의 tip 부위에는 날(blade)이 없지만 #2 GGB를 사용할 때 강한 힘을 주면서 근관 입구에 넣으면 ledge가 생길 수 있으므로 이를 예방하기 위해 glide path를 확실하게 형성한 후 약한 힘으로 사용하는 것이 안전하다. 근관 안으로 넣을 때는 glide path를 형성할 때 사용한 file이 근관 안으로 들어갔던 방향을 기억하여 GGB를 그 방향으로 근관 입구에 넣고 근관 입구를 나오면서 근관의 이름 방향의 dentinal collar를 삭제한다면 ledge를 예방하면서 부드럽게 GGB를 사용할 수 있다. GGB를 잘 사용하면 약한 힘으로도 근관 안으로 빨려 들어가는 것을 느낄 수 있다.

GGB 사용은 주로 #2, 3, 4 또는 #4, 3, 2 순서로 사용하는데 #1은 너무 얇아서 잘 분리되고 #5, 6은 너무 두꺼워서 치질이 과하게 삭제되므로 사용을 피하는 것이 좋다. 사용 깊이는 orifice level을 기준으로

(1) #2 GGB: head가 들어가고 약 2 mm 더 들어감

(2) #3 GGB: head까지 들어감

(3) #4 GGB: head가 1/2 정도 들어감

너무 깊이 들어가면 치질의 삭제가 과해지면서 coke bottle 모양으로 확대되므로 주의해야 한다.

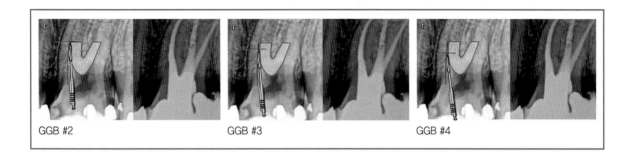

GGB #2   GGB #3   GGB #4

2) NiTi orifice shaper (opener)를 이용한 straight line access

ProTaper Gold

Sx

One Flare

#25/09

Hyflex CM orifice opener

#25/08

Hyflex EDM orifice opener

#25/12

GGB 외에 straight line access를 위한 기구로 NiTi orifice shaper (opener)가 각 회사마다 존재한다. 대표적인 NiTi orifice shaper (opener)로는 ProTaper Gold (Dentsply Sirona)의 Sx, One Flare (MicroMega) 그리고 Hyflex CM/EDM orifice opener (Coltene) 등이 있다.

NiTi orifice shaper (opener) 대부분의 공통적인 특징은 file의 끝은 #25 이하이고 taper는 .08 이상으로 구성돼 있다는 점이다. 그래야 GGB와 마찬가지로 coronal 1/3를 효과적으로 확대할 수 있기 때문이다. File의 끝부분은 형성된 glide path를 따라 들어가고 근관 입구를 나오면서 coronal 1/3를 확대하는 것이다. 이렇게 근관의 coronal 1/3를 확대하여 얻을 수 있는 이점은 굉장히 많은데, 가장 중요한 것이 coronal 1/3를 적절히 확대했을 때 apical 1/3 부위에서 이후에 사용하는 NiTi file이 받는 힘이 줄어든다는 점이다. File이 받는 힘이 줄어들어 근관의 apical 1/3에서 과도한 삭제를 피할 수 있고 file separation을 예방할 수 있으며, debris가 치근단공을 넘어가는 비율이 줄어들어 다양한 사고를 예방할 수 있고, canal aberrations 되는 확률을 줄여줄 수 있다. 또한 근관치료를 하는 과정에서 근관장은 계속 변하게 되는데 coronal 1/3를 적절히 확대하면 근관장의 변화를 최소화시킬 수 있고, 보다 정확한 MAF (master apical binding file)를 결정하는데도 도움이 되며, 전자 근관장 측정기의 효율이 높아지는 등 셀 수 없이 많은 이점이 있다. 이렇게 hand/NiTi file을 사용하기 전에 GGB나 NiTi orifice shaper (opener)로 근관의 상부인 coronal 1/3를 넓히는 것을 "coronal preflaring"이라고도 한다.

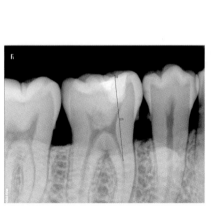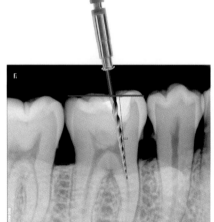

NiTi orifice shaper (opener) 사용 깊이

NiTi orifice shaper (opener)를 처음 사용할 때는 위와 같이 NiTi orifice shaper (opener)의 shank 부위와 연결된 날의 끝 부분이 치수강 개방할 때 설정해 놓은 reference point에 도달할 때까지 사용하는 것이 과하지 않고 좋다. Glide path를 형성할 때 사용되는 file이 separation 되는 것도 문제이지만 coronal 1/3를 확대하는 과정에서 발생하는 NiTi orifice shaper (opener)의 separation도 마찬가지로 이후의 과정을 어렵게 할 수 있으므로 주의해서 사용하여야 한다.

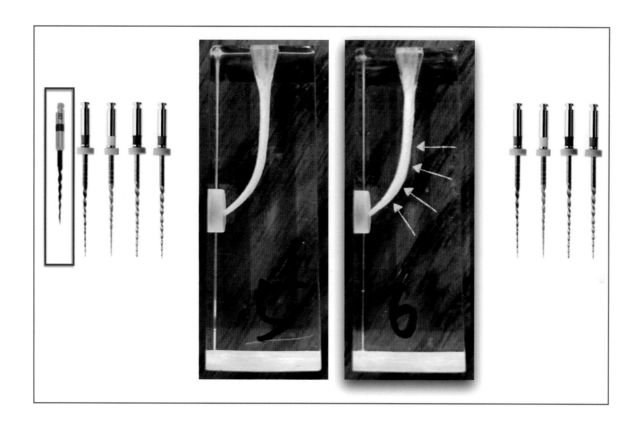

Coronal preflaring의 중요성을 보여주는 사진으로 왼쪽은 Hyflex CM orifice opener를 사용하였고 오른쪽은 orifice opener를 사용하지 않은 것을 제외하면 사용한 NiTi file 순서는 동일하였다. 이렇게 NiTi orifice opener의 사용을 제외하고 같은 방법으로 근관 성형한 레진 블록을 비교해 보면 오른쪽 레진 블록에서 노란색 화살표들이 가리키는 부위가 왼쪽보다 더 확대된 것을 확인할 수 있다. 엄밀히 말하면 이런 근관의 변화가 소위 말하는 transportation의 시작인 것이다. 이는 근관의 상부(coronal 1/3)를 먼저 넓히지 않으면 근관의 하부(middle or apical 1/3)에서 더 많은 확대가 발생한다는 것을 보여주는 것이다. 이런 일이 실제 임상에서 발생한다면 apical 1/3 부위에서 file이 보다 많은 힘을 받게 되므로 치근 상아질에 과도한 삭제가 발생하고 그 과정에서 file separation의 확률이 높아진다. 더 넓은 확대로 인해 ledge나 transportation 같은 canal aberrations이 발생할 가능성이 높아질 수 있음을 암시해 주는 것이므로 coronal preflaring을 반드시 시행한 이후에 NiTi file을 사용하는 것이 바람직하다.

Coronal preflaring 과정에서 발생한 GGB의 separation

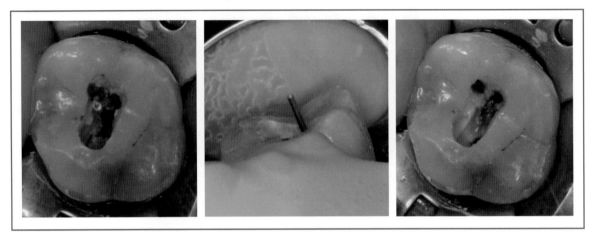

DB 근관에서 분리된 GGB #3 모습(shank 부분에서 분리되었다)과 분리된 부분이 제거된 이후의 모습

그렇다면 GGB 혹은 NiTi orifice shaper (opener) 중 어떤 것을 사용하는 것이 좋을까? 임상가의 능력에 많은 부분이 달려있겠지만 근관치료에 익숙하지 않다면 우선 GGB 사용을 먼저 하는 것을 좋다. 왜냐하면 GGB의 경우 분리된다 하더라도 날 부위가 아닌 shank 부위가 분리되므로 분리된 GGB 부위를 핀셋이나 locking plier로 쉽게 제거할 수 있기 때문이다. 또한 GGB가 사용 RPM이 NiTi orifice shaper (opener)에 비해 더 높기 때문에 회전식 기구에 대한 감을 잡는다는 의미에서도 GGB가 익숙해진 후 NiTi orifice shaper (opener)를 사용하는 것이 NiTi file을 보다 안전하게 사용하는 노하우가 될 것이다. 간혹 증례에 따라 GGB 사용 후에 NiTi orifice shaper (opener)를 추가적으로 사용하면 더 좋은 경우도 있다.

다만, GGB를 사용할 수 없을 만큼 orifice가 너무 좁아서 hand file이 간신히 들어가는 경우 NiTi orifice shaper (opener)를 바로 사용하기도 하는데 이런 예는 상악 대구치의 MB2 근관을 찾는 과정과 하악 대구치 DL 근관을 찾는 경우에 적용할 수 있다. 이런 근관들은 coronal preflaring하는 과정에서 처음에 방향을 잘못 잡으면 그 다음 단계를 해결하기 매우 어려워질 수 있으므로 원래의 근관을 최대한 유지할 수 있는 NiTi file의 사용이 권유되기도 한다.

Coronal preflaring은 모든 근관의 근관 성형 초기 단계에서 시행되는데 특별히 canal negotiation이 잘 되지 않는 경우, 재근관치료나 근관 성형 과정에서 ledge나 transportation이 발생한 경우, apical 1/3 부위에서 급격하게 꺾이는 부위나 accessary/lateral canal이 있는 경우 등 근관치료가 원활하게 진행되지 않는다면 반복적으로 시행하는 것이 좋다. 반복적으로 coronal preflaring을 시행해도 크게 위험하지 않은 이유는 dentinal collar를 제거하는 방향으로의 삭제는 근관의 안전 영역(safety zone)을 삭제하는 일종의 anti-curvature filing motion이기 때문이다. Coronal preflaring은 근관치료를 하는 과정에서 문제가 발생하여 precurved file을 조작할 때 필요한 공간을 만들어 줄 수 있다. 그러므로 근관치료 과정에서 문제가 생긴다면 문제의 부위를 곧바로 접근하기보다는 먼저 근관의 상부를 넓히는 것이 좋다.

4. Canal negotiation

Glide path를 형성하는 과정에서 canal negotiation이 되면 좋지만 그렇지 않은 경우도 있으니 여기에서 자세히 알아보자. Canal negotiation은 hand file로 해야 하는 근관치료의 대표적인 술식이다. 따라서 canal negotiation의 이해를 위해 hand file의 기본적인 사항에 대해서 알아보자.

1) Hand file 기본적인 사항 및 사용 방법

(1) Hand file color code

Hand file은 #6(pink), #8(gray), #10(purple)을 제외하면 white, yellow, red, blue, green, black 순서대로 #15, #20, #25, #30, #35, #40에 각각 color coding되고 이는 #140까지 반복된다. 또한 #60까지는 #5 단위로 높아지고 #60 이후로는 #10 단위로 높아진다.

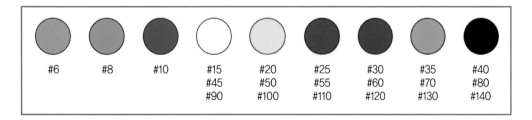

#6	#8	#10	#15	#20	#25	#30	#35	#40
			#45	#50	#55	#60	#70	#80
			#90	#100	#110	#120	#130	#140

(2) Hand file: 크기, taper, 날(blade)의 길이

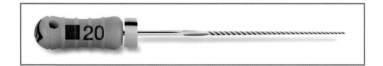

Hand file은 handle, shank, blade로 구성되어 있다. 길이는 21, 25, 31 mm 3종류가 있는데 길이가 길어질수록 날의 길이가 길어지는 것이 아니라 shank 부위가 길어지는 것이고 길이가 짧아지는 경우도 마찬가지이다. #20 hand file의 경우 file의 끝부분(D0)에서 직경의 크기가 0.2 mm이고 여기에 100을 곱한 20이 file의 번호가 된다. Hand file의 경우 02 taper를 가지고 날의 길이는 file의 길이와 상관없이 16 mm이다. 따라서 #20 hand file의 날이 끝나는 지점(D16)에서 직경의 크기는 (20+2x16=52)이므로 #52에 해당하는 file 크기를 가진다.

(3) K-file vs. Reamer

일반적으로 hand file이라 함은 대개 K-type file을 의미하는데 1915년 Kerr라는 회사에서 최초로 이 기구를 제작하면서 회사 이름의 앞 글자(initial)를 따서 K-file로 명명되었고 현재까지 hand file의 대명 사로 불려지고 있다. 끝이 가늘어지는 blank를 이용하여 횡단면이 90도를 가진 사각형이나 삼각형으로 연마된 탄소강으로부터 꼬아서 제작된다.

K-file은 push & pull stroke을 반복적으로 시행하여 근관을 넓히는 기구이다. File의 경우 helical angle (file의 장축에 대한 날의 각도)이 약 40도를 이루고 있어 삭제에 효율적이고 최근에는 reamer에 비해 압도적으로 많이 사용되고 있다. Reamer는 회전 동작을 통해 근관을 삭제하고 확대하는 기구로 helical angle이 약 20도로 file에 비해 느슨하게 꼬여 있다. 유연성은 좋으나 삭제력이 약해서 쉽게 separation 되는 경향이 있으므로 최근에는 많이 사용되지 않는다.

(4) H-file

H-file은 K-file과 더불어 근관치료에 사용되는 대표적인 hand file로 경사도를 가진 가공되지 않은 둥근 금속강을 깎고 하나의 연속적인 flute를 연마함으로써 제작된다. 나선의 날을 가지고 있으며 pulling stroke에서만 삭제가 일어나고 삭제력은 K-file보다 효과적(상아질의 경우 K-file에 비해 2-10 배의 효율을 가진다)이나 과하게 사용하면 근관의 삭제가 너무 많아질 수 있고 무리해서 사용하면 file이 separation되기 쉬우니 주의해야 한다. 예전에는 step back technique 마지막 단계에서 근관을 부드럽게 하기 위해서 이용되었는데 최근 NiTi file이 많이 사용되면서 H-file 사용의 빈도는 확연히 줄어들었다. 최근에는 IAF 치근단 방사선 사진을 촬영할 때 설측에 H-file, 협측에 K-file을 삽입하여 협, 설측 근 관을 구별하는 용도로 주로 사용된다.

(5) Hand file motion

① Watch winding motion

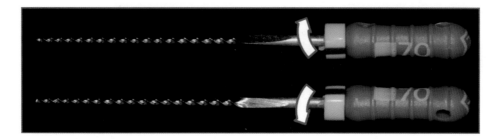

　Watch winding motion은 hand file (K-type file)에서 가장 많이 사용되는 방법으로 canal scouting하는 과정부터 근관 성형 마지막 단계인 apical patency까지 전 과정에 걸쳐 두루 사용된다. 사용 방법은 약 30-60도 시계 방향과 반시계 방향을 반복적으로 돌리면서 치근단 부위로 전진하는 것으로 시계 방향으로 돌릴 때 file이 치근 상아질에 물리게 되고 반시계 방향으로 돌릴 때 물려 있던 상아질이 깎이는 원리이다.

② Push & Pull

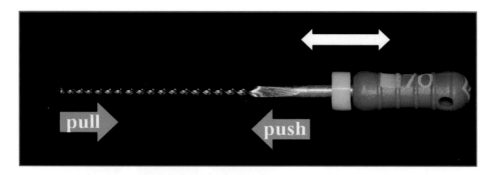

　Push & Pull motion은 전형적인 filing의 방법으로 watch winding motion으로 근관을 탐침한 후 상부를 넓히기 위해 사용한다. Glide path 형성을 예로 들어 설명하면 hand file #10으로 canal scouting을 watch winding motion으로 하는데 어느 정도 #10 hand file이 근관 안으로 들어가면 저항감이 느껴지게 된다. 이때 #10 hand file이 근관 상부에 있는 상아질에 물리면서 file에 저항감이 느껴지는 경우가 대부분이므로 근관 상부를 넓혀야 한다. 이때 anti-curvature filing을 시행하면서 in and out motion으로 사용하는 방법이 push & pull motion이라고 보면 되겠다.

③ Quarter turn & Pull

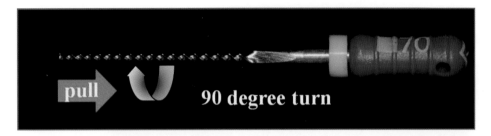

근관 성형을 모두 완료하고 recapitulation하는 과정에서 MAF로 근관장까지 들어가는 과정에서 원하는 길이까지 들어가지 않을 때 근관장까지 MAF를 넣기 위해서 주로 사용하는 방법이다. Hand file을 근관에 넣고 시계 방향으로 90도 돌린 후 - 이때 file이 상아질에 물리게 된다 - pulling stroke를 함으로서 치근 상아질에 물려 있는 상아질을 제거하는 방법이다. 근관 세척까지 마친 후 gutta percha (GP) cone fitting 과정에서 GP cone이 원하는 길이(근관장에서 0.5-1.0 mm 짧은 길이)까지 들어가지 않는 경우가 있다. 이런 경우 MAF보다 높은 번호의 file로 근관을 추가로 삭제하기도 하는데 이런 때도 주로 이 방법을 사용하여 문제를 해결하면 좋다.

④ Balanced force technique

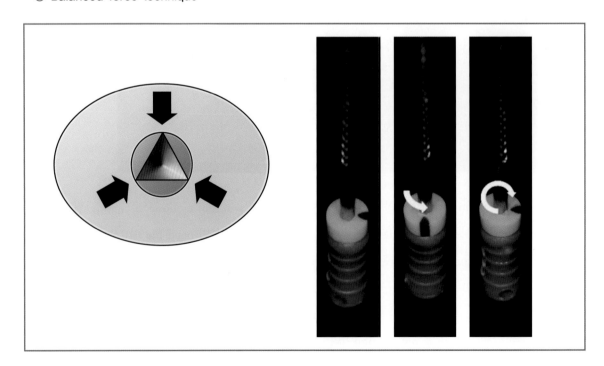

Balanced force technique은 hand file로 할 수 있는 motion 중 가장 어렵지만 매우 중요한 술식으로 1985년 Dr. Roane이 고안한 방법이다. 삼각형의 단면을 가지고 non-cutting tip을 가진 flex-R file을 이용하여 file에 precurve를 주지 않은 straight 상태에서 다음과 같은 순서로 사용한다.

❶ Watch winding motion으로 file에 저항감이 없을 때까지 들어간다.

❷ 저항감이 느껴지면 시계 방향으로 약 90도 돌린다. 약한 힘으로도 file이 치근 상아질에 물리게 된다. 이때 90도 이상 과하게 돌리지 않도록 한다.

❸ 반시계 방향으로 약 270도 돌린다. 이때 file이 근관 밖으로 나오지 않도록 힘을 주면 물려 있던 치근 상아질이 깎이게 된다.

❹ ❷, ❸을 반복하면서 근관장까지 진행한다. File에 저항감이 너무 심한 경우 한 단계 낮은 번호의 file로 재시도하여 성공하면 다음 번호의 hand file로 다시 시도한다. 이 과정에서 mid-size hand file은 큰 도움이 된다.

❺ Hand file을 뺄 때는 filing motion을 하지 않고 file이 빠지는 방향으로 힘을 주어 한 번에 근관 밖으로 빼낸다.

2) Canal negotiation (nego)

Canal negotiation은 흔히 줄여서 nego라고도 부르는데 근관치료 전 과정에서 가장 tactile sense를 요하는 과정이다. 근관치료의 성패를 결정할 수도 있는 난해한 과정이므로 발치된 치아에서 수많은 연습을 통해 이를 극복해 나가는 것은 필수적이다. Nego가 돼야 apical patency를 얻을 수 있고 apical patency가 근관 충전할 때까지 잘 유지돼야 좋은 근관치료를 할 수 있으므로 nego는 좋은 근관치료의 필수 과정이라고 할 수 있다.

Nego를 얻기 어려운 근관을 살펴보면 생리적으로는 심한 우식이나 외상, 또는 pulpotomy로 인해 진행된 석회화 근관과 급격한 만곡이 있는 근관 등이 있고 의원성으로는 근관 성형 과정에서 발생한 치수 조직이나 상아질 잔사로 인해 근단부가 막히거나 ledge, file separation 등이 있다.

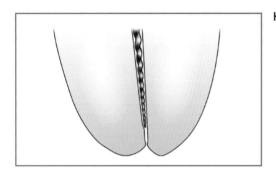

Hand file 끝에 stick in sense가 있는 경우

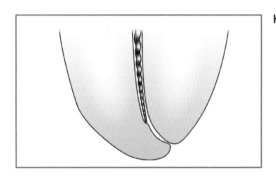

Hand file 끝에 solid wall sense가 있는 경우

먼저 nego 과정에서 계속 진행해야 하는 경우와 멈춰야 하는 경우를 나눠서 생각해 보자. Nego는 주로 얇은 hand file로 시행하는데 가장 먼저 사용하는 기구는 #10 hand file이다. #10 hand file을 근관에 넣고 file에 살짝 저항감이 느껴질 때 #10 hand file을 근관에서 빼는 과정에서 뭔가 끈적이거나 근관에 맞물리는 느낌이 들 때가 있다. 이런 느낌을 "stick in sense"라고 하고 이런 경우에는 치근단 쪽으로 더 진행하는 것이 좋다. 이 과정에서도 근관 윤활제는 사용하고 근관 세척은 충분히 해주는 것이 좋다. 만약 근관에 맞물리는 느낌이 너무 세다면 NiTi file을 사용하여 coronal 부위를 더 확장해 주고 다시 시도하는 것이 좋다. 그럼에도 불구하고 맞물리는 느낌이 세다면 hand file을 #8으로 한 단계 낮춰서 시행하면 되고 이렇게 hand file을 한 단계 낮춰서 시행하면 대개 치근단 부위로 hand file이 더 전진하게 된다. 만약 #10 hand file에서 #8으로 바꿔서 근관을 탐색하는데 더 이상 끈적이는 느낌이 나지 않는다면 현재 탐색하고 있는 근관은 술자가 새롭게 만든 근관이니 – 석회화가 심한 경우 원래 근관인지 새롭게 근관을 만들고 있는 것인지 구분하기 어려운 경우도 있다 – 하던 것을 멈추고 본래의 근관을 찾는 과정으로 넘어가야 한다.

#10 hand file이 더 이상 들어가지 않는 상태에서 벽을 치는 느낌이 들고 근관 밖으로 빼는 과정에서 전혀 끈적이는 느낌이 들지 않는다면 이런 느낌을 "solid wall sense"라고 한다. 이럴 때는 우선 한 단계 낮은

번호의 hand file로 다시 한번 nego를 시도하는데 여전히 벽을 치는 느낌이라면 현재 처치하고 있는 근관은 술자가 만들었거나 이미 ledge나 transportation이 생겨 있는 것이므로 방향을 바꿀 필요가 있다. 그런데 만약 한 단계 낮은 hand file로 stick in sense가 생긴다면 근관의 석회화가 너무 심해서 #10 hand file에 solid wall sense가 난 것이니 #8 hand file로 치근단 부위로 더 전진을 시도해도 된다.

그렇다면 solid wall sense가 있는 근관에서 nego는 어떻게 하면 좋을까? 우선 왜 근관에서 solid wall sense가 발생했는지 생각해 볼 필요가 있다. 앞서 언급한 다양한 이유가 있겠지만 초보자가 가장 많이 하는 실수 중 하나가 근관 성형을 하는 과정에서 근관 윤활제를 적절히 사용하지 않거나 근관 세척을 충분히 하지 않아서 기구 조작 시 발생하는 잔여 치수 조직(remnant pulp tissue)이나 상아질 잔사(dentin chip)에 의해 치근단 부위가 막히는 현상이다. 치수 조직은 type I collagen으로 구성돼 있는데 이런 치수 조직이 치근단 부위에서 엉기게 되고 시간이 지나서 딱딱하게 굳어 버리면 더 이상 연조직이 아닌 경조직과 같이 변하게 되므로 nego를 하는 것은 대단히 어려워지게 된다. 따라서 이를 예방하기 위해 근관 성형 과정에서 수시로 근관 세척을 하는 것은 매우 중요하다.

다음으로 생각해 볼 것은 외상이나 pulpotomy에 의한 석회화 현상이다. 우식에 의한 석회화는 대개 orifice level부터 시작되는 반면에 치수 조직이 외상이나 pulpotomy에 의해 손상을 받게 된다면 무정형으로 석회화 물질이 치수 조직에 발생하게 되므로 nego하는 것이 대단히 어려워지게 된다. 이런 경우 hand file 끝에 precurve를 주어 nego를 시도하게 되는데 precurve의 경우 그 길이를 어느 정도로 하느냐에 따라 다양하게 존재할 수 있다. 일반적으로 precurve는 file 끝 부위 약 1-2 mm 정도를 핀셋이나 EndoBender 같은 전용 기구로 부드럽게 구부려서 만들게 된다.

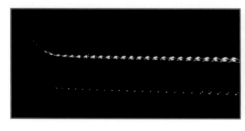

Precurved file
precurve를 주고 rubber stop과 방향을 맞추면 file이 근관 내에 있어도 술자가 precurve 방향을 알 수 있다.

Hand file 끝 부위에 precurve를 주기 위해서는 핀셋으로 file의 끝 부위를 잡고 file에 원을 만들어 준다는 느낌으로 부드럽게 구부려주면 어렵지 않게 만들 수 있다. 임상에서 급한 마음에 손톱으로 하는 경우도 있으나 핀셋으로 하는 것이 훨씬 정교하게 precurve를 부여할 수 있다.

최근에는 Hyflex CM & EDM 같이 controlled memory wire로 제작된 NiTi file의 경우 실온에서 구부러진 상태로 존재하여 NiTi file에도 precurve를 줄 수 있는 제품들이 늘어나고 있지만 근관치료에 익숙하지 않으면 가급적 nego는 hand file로 하는 것이 안전하다.

Precurve를 준 file을 근관에 넣고 조심스럽게 찔러보아서 stick in sense가 나면 일반적인 watch winding motion보다 각도를 줄인 watch winding motion으로 치근단 부위로 진입을 시도하고 solid wall sense가 나면 file을 약 1–2 mm 뺀 후 10도 정도 돌린 후 다시 찔러보는 과정을 반복하면서 본래의 근관을 찾아가게 된다.

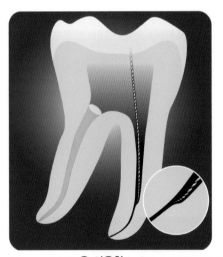

Precurved file을 이용한 ledge management

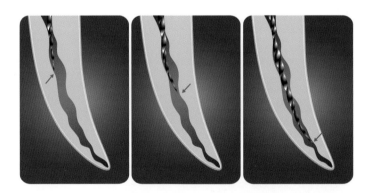

근관 내부에 석회화가 있는 경우 그림과 같은 부위를 피해서 치근단 부위에 도달해야 하는데 이럴 때 precurved file이 유용하다.

이렇게 file에 precurve를 주면 근관 내 불규칙한 부위나 석회화로 인해 발생하는 석회화물 또는 ledge 등을 file이 피해 가면서 nego에 성공할 가능성이 높아진다. 이때 precurve의 방향과 rubber stop의 홈 부위를 일치시켜 file이 근관에 들어갔을 때 precurve가 있는 방향을 밖에서도 인지할 수 있다면 치료에 도움이 된다. 아울러 nego에 성공하면 file을 빼지 말고 그 자리에서 짧은 stroke를 시행하는데 #10 hand file 이 느슨해 질 때까지 시행하는 것이 좋다. Nego가 되었다고 file을 빼면 다시 그 부위로 넣기가 어려울 수 있기 때문이다. Nego 과정에서 또 한 가지 생각해야 할 점은 nego해야 하는 불규칙적인 해부학적 구조나 석회화물이 한두 개가 아닐 수 있다는 점이다. 그러므로 간혹 multiple precurve (file에 precurve를 하나 더 주는 것으로 첫 번째 precurve 상방으로 하나의 curve를 더 주어 만든다)를 주어 해결해야 하는 고난이도의 증례도 존재한다. 따라서 nego할 때는 apical patency가 확보될 때까지 긴장의 끈을 놓으면 안 된다.

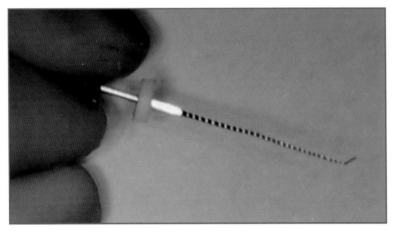

Kinked file

의원성으로 발생한 ledge, transportation이나 해부학적으로 apical hook과 같이 급격한 꺾임이 있는 근관의 경우 일반적으로 precurve를 통해 해결하기에 어려운 경우가 많다. 이런 경우에는 hand file 끝의 1-2 mm를 핀셋으로 잡고 약 45도 정도 꺾어서 kinking을 주어 precurve와 비슷한 동작으로 사용한다. Precurve와 마찬가지로 kinking을 준 hand file도 rubber stop의 홈 부위에 방향을 일치시켜 사용한다.

물론 precurve나 kinking을 주어 nego를 시도한다 하더라도 100% 성공하는 것은 아니다. Hand file 여러 개를 소모하며 시도해도 안 되는 경우라면 전술했듯이 coronal preflaring부터 다시 한번 시행하는 것이 좋다. 근관의 상부를 보다 넓게 되면 하부에서 기구 조작을 할 때 여유 공간이 조금이라도 더 생기게 되고 즉, hand file이 움직일 수 있는 범위가 늘어나므로 이런 여유 공간 덕분에 nego에 성공하는 경우도 있다.

몇 가지 팁을 더 말하자면 첫째, nego할 때는 짧은 길이의 hand file을 사용하는 것이 유리하다. 즉, 평소에는 주로 25 mm 길이의 hand file을 사용하는 데 nego를 하려고 한다면 21 mm 길이의 hand file이 더 유리하다. 그 이유는 file의 끝부분에서 stick in sense가 느껴지는지 solid wall sense가 느껴지는지가 굉장히 중요한데 술자의 손과 file 끝 부분의 거리가 가까울수록 tactile sense를 잘 느낄 수 있기 때문이다. 둘째는 일반 K-file보다는 heat treatment가 되어 있어 보다 stiffness가 추가된 hand file이 유리할 때가 있다. 일반 K-file의 경우 너무 연약해서 정말 tactile sense가 좋은 분들을 제외하고는 사용하다 보면 심하게 구부러져서 hand file의 소모량만 늘어나고 진도가 나가지 않는 경우가 많다.

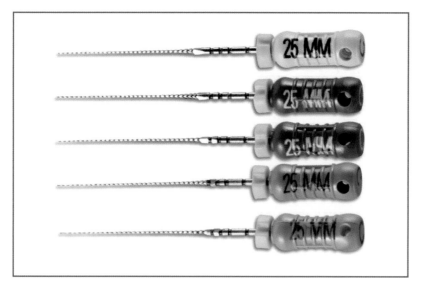

C pilot file

C pilot file (VDW)은 특별한 열처리 과정을 통해 일반 K-file보다 stiffness를 높인 hand file로 복잡한 근관계의 nego에 도움이 되는 경우가 많다. 특히 석회화 근관의 nego에 유용하게 사용되고 치수 조직이나 상아질편에 의해 근단부가 막힌 경우에도 조심스럽게 사용하기에 좋다. 특히 #12 크기의 file이 라인업에 들어있어서 #10에서 #15으로 바로 올라가는 것이 아니라 중간에 하나의 hand file (#12)이 더 있는 것이 다른 시스템과 차별되는 점이라고 할 수 있다.

🦷 5. 근관장 측정 및 방사선 사진 촬영

어렵게 nego에 성공했다면 apical patency를 계속 유지하면서 #15 또는 #20 hand file로 근관장까지 근관을 넓혀주는 것이 좋다. Glide path가 잘 형성되었다면 그렇게 어려운 과정은 아닐 수 있다. 만약 발치된 치아에서 연습하는 경우라면 근관장을 file이 치근단에서 보이지 않을 정도로 정확히 맞춘 후 1 mm를 뺀 값으로 정하면 된다.

1) Rubber stop 및 Safety memo disk (SMD)

근관장을 측정함에 앞서 hand file에 꽂혀 있는 "rubber stop"을 확실하게 만들어 주는 것이 좋다. Rubber stop이 너무 헐거우면 근관장을 측정하는 과정에서 rubber stop이 움직여서 근관장 자체가 정확하게 측정되지 않을 수 있으니 가급적 file에 꽉 끼는 것이 좋다. 두께 측면에서도 너무 얇으면 쉽게 움직일 여지가 생기므로 가급적 약 1.5 mm 정도의 두께를 가지는 것이 좋다. File은 hand file, NiTi file을 모두 한번 사용하면 세척 및 멸균을 하고 사용하게 되는데 이 과정에서 rubber stop이 느슨해질 수 있으므로 file을 사용하기 전에 rubber stop의 견고함을 확인하는 것이 좋다. 필요한 경우 rubber stop을 2개 이상 끼워서 사용하는 경우도 있는데 최근에는 SMD라고 file의 사용 횟수를 체크하는 것이 rubber stop 하나를 대신할 수도 있다.

 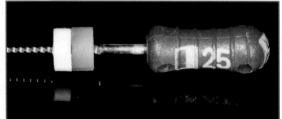

Rubber stop을 각각 2개씩 넣은 file

위의 사진은 NiTi file과 hand file에 rubber stop을 각각 2개씩 끼워 놓은 것으로 이렇게 하면 rubber stop이 1개인 경우 근관장을 측정하는 과정에서 경우에 따라 rubber stop이 사선이 되어 근관장이 애매하게 측정되는 것을 예방할 수 있다.

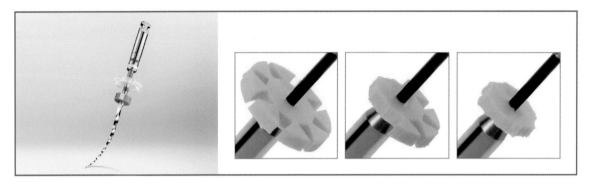

SMD가 장착돼 있는 NiTi file인 RaCe

NiTi file 중 RaCe는 SMD가 rubber stop 안쪽에 끼워져 있어서 근관 성형에 사용한 경우 하나씩 떼어내면서 몇 번을 사용했는지 횟수를 체크하게 되어 있다. 기존에는 여러 가지 다양한 색깔로 file의 taper를 구분하였으나 SMD에 색이 들어간 경우 근관 성형 과정에서 rubber stop이 잘 보이지 않아서 최근에는 투명하게 바뀌면서 이런 문제점이 개선되었다. 이 SMD는 file에 꽉 끼이도록 만들어져 있기 때문에 2번째 rubber stop의 역할을 하면서 file의 사용 횟수도 직관적으로 알 수 있게 한다. 근관 성형 과정에서 하나의 치아에 NiTi file을 사용한 후에 대개 한 개의 SMD를 떼어내지만 근관의 석회화 또는 만곡도에 따라 file이 받은 힘이 크다고 평가할 때는 하나의 치아에 적용하고 2개 이상의 SMD를 떼어낼 수도 있고 상황에 따라서는 떼어내지 않는 경우도 있다.

2) 전자 근관장 측정기를 이용한 근관장 측정

전자 근관장 측정기(electronic apex locator)를 이용하면 보다 편리하고 정확하게 근관장을 측정할 수 있는 장점이 있다. 전자 근관장 측정기는 Dr. Suzuki에 의해 제안된 것으로 치주인대와 구강 점막 사이에는 일정한 전기 저항을 나타낸다는 점을 이용하여 근관장을 측정하는 것이다. Dr. Suzuki는 치주 조직 사이의 전기 저항이 사람의 연령, 치아의 모양이나 근관의 직경과 상관없이 6.5 KΩ으로 일정한 값을 나타내는 것을 발견하여 이를 근거로 최초의 근관장 측정기를 개발하였다. 그러나 초기 전자 근관장 측정기는 여러 가지 문제점이 있었고 이후에 이런 문제점이 보완되어 현재는 주파수의 impedance 비율을 이용한 제품을 통해 치아의 reference point에서 근관에서 가장 좁은 부위인 apical constriction까지의 길이를 근관장으로 활용하고 있다.

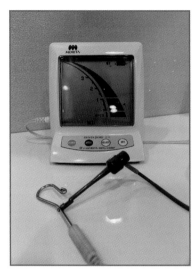

전자 근관장 측정기의 connecting test

이런 전자 근관장 측정기를 정확하게 사용하기 위해서는 우선 전자 근관장 측정기가 정상적으로 작동하는지 확인을 해야 하는데 이를 "connecting test"라고 한다. 전자 근관장 측정기의 전원을 켜고 장비에 연결된 lip hook에 file holder를 걸어주면 "삐~"하는 소리와 함께 전자 근관장 측정기가 깜빡거리며 눈금이 apex를 넘어가게 되는데 이렇게 되면 정상적으로 작동한다는 것을 알 수 있다.

장비가 정상적으로 작동하는 것을 확인했으면 러버댐 아래에 있는 환자의 구각부에 lip hook을 건다. #15 또는 20 hand file을 근관에 넣고 watch winding motion으로 조심스럽게 치근단 부위로 내려간다. Initial patency를 위해 측정했던 잠정적인 근관장 부근까지 hand file이 진입하면 file holder를 hand file에 연결하고 전자 근관장 측정기의 눈금이 "apex marker"를 살짝 넘어갔다 다시 apex marker에 맞춘다. 그 이후에 file의 rubber stop을 치아의 reference point에 맞추고 file을 근관 밖으로 뺀 후에 endodontic ruler를 사용하여 file tip에서 rubber stop까지의 길이를 측정한다.

길이를 측정한 후 0.5 mm를 빼면 비로소 그 근관의 길이가 된다. 여기서 apex marker를 기준으로 0.5 mm를 빼는 이유는 apex marker가 제품의 매뉴얼과 여러 연구들에서 major foramen을 가리킨다고 돼 있고 다른 포인트들 가령, 0.5 marker 또는 1 marker보다 apex marker에서 재현성이 더 높아 측정치로서 신뢰할 수 있다는 연구가 많기 때문이다. 또한 여러 연구에서 major foramen에서 minor foramen (또는 apical constriction)까지의 길이가 대략 0.5 mm를 보인다는 결과를 고려해서 결정하는 것이다. 그러나

apical constriction은 어떤 한 지점이라기보다는 범위로 보는 것이 더 타당하기 때문에 치과의사마다 측정하는 방법이 미세하게 다를 수 있다. Apical constriction을 직접 읽을 수 있다면 좋겠지만 최근 micro-CT를 이용한 연구를 보면 apical constriction이 없는 경우도 있기 때문에 보다 재현성이 높은 apex marker (major foramen)를 읽고 우리가 원하는 지점을 유추하는 방법으로 근관장을 측정하는 것이다. 근관장 측정에서 가장 중요한 것은 이후에 있을 기구 조작을 근관 내로 한정하는 것인데 그래야 치근단 부위에 있는 조직의 손상을 줄여줄 수 있기 때문에 근관 치료 후에 치유되는 시간이 짧아지기 때문이다.

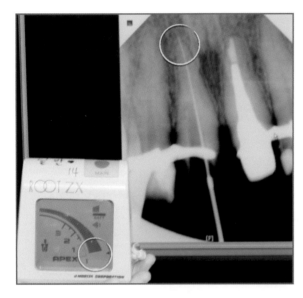

전자 근관장 측정기의 오작동 모습

전자 근관장 측정기는 근관치료를 보다 효율적으로 하는데 큰 도움을 주는 장비인 것은 분명하지만 간혹 오작동 - 전자 근관장 측정기에서는 안정된 사인이 나오지만 치근단 공을 많이 벗어난 경우가 있고 어떤 경우에는 아예 측정치가 왔다 갔다 널뛰면서 불안정한 경우도 있다 - 이 발생한다.

위 사진에서 #11 치아 IAF 치근단 방사선 사진에서 전자 근관장 측정기는 아직 apex marker를 벗어나지 않았는데 file은 치근단공을 벗어난 것을 확인할 수 있다. 이런 경우 다른 전자 근관장 측정기로 재측정하는 방법과 환자가 다른 날 내원했을 때 다시 측정하는 방법이 있다. 전자의 경우 다른 장비 역시 오작동이 발생할 가능성이 있지만 후자의 경우 다행히 거의 대부분은 정상 작동한다. 예전에는 치근단 방사선 사진을 보면서 치근첨에서 1 mm를 빼서 근관장을 설정하기도 하였으나 이 방법은 정확하지 않은 경우가 많으므로 신뢰할 수 있는 방법은 아니다.

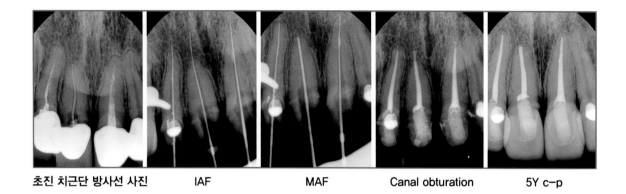

초진 치근단 방사선 사진　　　IAF　　　　MAF　　　Canal obturation　　　5Y c-p

전자 근관장 측정기에서 측정된 근관장만 믿고 근관치료를 하면 어떨까?

위 사진은 앞서 언급한 것과 마찬가지로 전자 근관장 측정기에서는 안정된 사인을 보이는데 실제 file 이 치근단공을 더 많이 벗어난 경우이다. 이런 상태에서 안정된 전자 근관장 측정기만 믿고 근관 성형 을 했다면 치아에 따라 다르겠지만 #11의 경우 5 mm 이상 벗어난 부위까지 기구 조작을 했을 것이다. 그러므로 전자 근관장 측정기만 믿고 근관치료를 하는 것보다는 치근단 방사선 사진을 촬영한 후 전자 근관장 측정기로 측정한 근관장과 비교하면서 최종 근관장을 결정하는 것이 좋다. 아울러 근관치료에 익숙하지 않다면 아래와 같이 근관치료의 각 단계마다 치근단 방사선 사진을 촬영하여 전 단계와 비교 하면서 진행하면 실수를 줄일 수 있을 것이다.

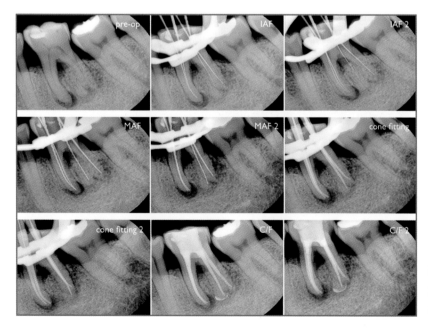

초진 치근단 방사선 사진, IAF(2장), MAF(2장), Cone fitting(2장), Canal obturation(2장)

6. 근관 성형

1) Hand file을 이용한 근관 성형

Hand file을 이용하여 근관 성형하는 방법은 여러가지가 있지만 가장 흔하게 사용되는 방법은 "step back technique"이다. 이 술식은 치근단 부위의 근관 형성을 완성한 후 연속적인 계단 형태로 근관 입구 부위로 올라갈수록 직경이 넓은 근관의 형태를 얻는 방법으로 사용 방법은 다음과 같다.

(1) 치수강을 개방한 후 #10 hand file로 근관을 탐침한다.

(2) Apical patency가 확보되는지 확인한다.

(3) 잠정적인 근관장(tentative working lengt, TWL)을 측정한다.

(4) TWL까지 glide path를 형성하고 #15 또는 20까지 근관을 확대한다. Patency가 확보되지 않았다면 근관의 2/3 지점까지만 확대한다.

(5) GGB 또는 NiTi orifice shaper (opener)로 coronal 1/3를 확대하여 straight line access를 확보한다.

(6-1) (2)에서 patency가 확보되었다면 → #15 또는 20 hand file로 근관장을 측정한다.

(6-2) (2)에서 patency가 확보되지 않았다면 → Canal negotiation을 시행하고 (6-1)을 진행한다.

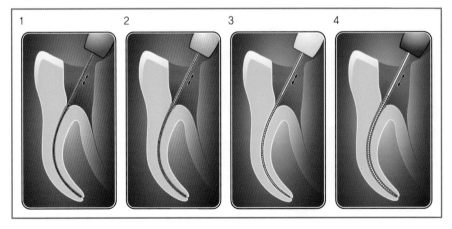

Step back technique 1.
#25 크기를 MAF로 잡는 다는 가정 하에 근관 성형을 하는 과정으로 근관장까지 #10 크기의 hand file부터 #25까지 순차적으로 근관을 확대한다.

(7) 점차 hand file의 번호를 늘려가면서 file이 근관장에서 치근단 부위에 꽉 끼이는 기구(initial apical binding file, IAF 또는 first apical binding file, FABF)를 찾는다.

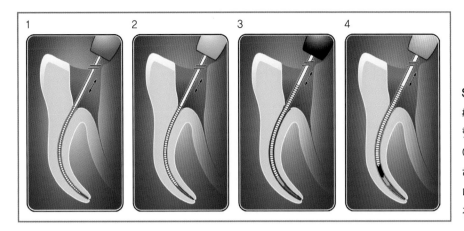

Step back technique 2.
#25까지 근관장까지 확대
했다면 #30부터는 근관장
에서 0.5-1.0 mm씩 짧게
하여 근관을 넓히면 된다.
대개 #60 hand file까지
진행한다.

(8) IAF 또는 FABF보다 3단계 위의 hand file (master apical binding file, MAF)까지 치근단 부위를
넓힌다.

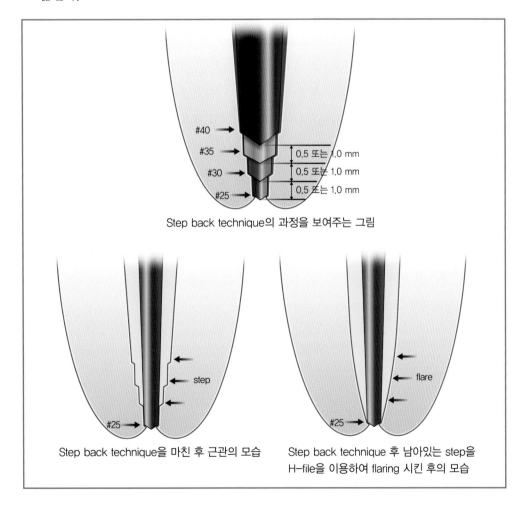

Step back technique의 과정을 보여주는 그림

Step back technique을 마친 후 근관의 모습

Step back technique 후 남아있는 step을
H-file을 이용하여 flaring 시킨 후의 모습

(9) MAF 이후에 연속적으로 굵은 hand file을 이용해 각각 0.5 mm 또는 1.0 mm씩 순차적으로 짧게 근관을 넓혀준다.

(10) H-file을 이용하여 계단 형태의 근관을 flaring 시켜준다.

(11) MAF로 recapitulation한다.

(12) Apical patency가 유지되었는지 확인한다.

Step back technique을 진행하는 과정에서 충분한 근관 세척 및 주기적인 patency 확인은 필수적이다.

2) Rotary NiTi file을 이용한 근관 성형

NiTi file을 사용하기 전에 지금까지의 과정을 다시 한번 정리해보자.

치수강 개방을 한 이후에 canal scouting이 원활하게 진행돼서 canal negotiation이 되고 initial patency 가 잘 유지되면서 glide path가 형성되면 근관치료에서 가장 까다로운 과정이 해결되었다고 보면 된다. 물론 만곡이 심하게 있는 근관에서는 앞으로도 험한 과정이 더 남아있겠지만 일단 여기까지 잘 왔다면 앞으로 남은 근관 성형은 NiTi file의 사용 원칙을 잘 지키면 된다. GGB 또는 NiTi orifice shaper (opener) 로 coronal preflaring을 시행한 후에 #15 또는 20 hand file과 전자 근관장 측정기를 이용하여 근관장을 결정했다면 이제 본격적으로 근관을 성형해야 한다.

NiTi file을 이용한 근관 성형의 원칙은 "crown-down technique"이다. 이 술식은 먼저 사용하는 NiTi file로 주로 근관의 coronal 1/3와 middle 1/3를 성형하고 나중에 사용하는 것으로는 주로 apical 1/3를 성형하는 것이다. 가령, 초심자들이 많이 사용하는 NiTi file인 Profile을 사용하여 #25/06(#25 크기의 06 taper)을 목표로 근관을 성형한다고 가정하자.

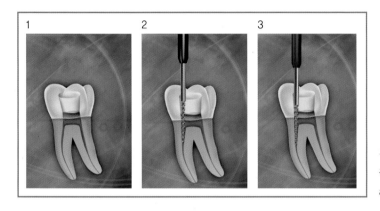

치수강 개방을 한 치아에 NiTi orifice shaper #40/06과 #30/06을 사용하여 straight line access를 형성하는 모습

Apical patency 및 glide path를 확보한 후에 orifice shaper (#40/06, #30/06)를 이용하여 가장 먼저 coronal 1/3를 확대한다. 근관의 상부를 넓혀야 점점 치근단 부위로 NiTi file이 내려가기 수월하기 때문이다.

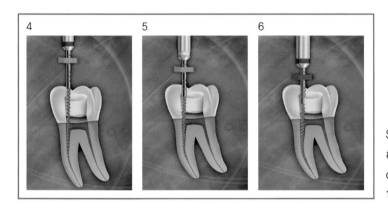

Straight line access 이후 Profile #25/06, #20/06, #25/04를 순차적으로 사용하면서 crown down technique을 시도하여 middle 1/3 부위를 근관 성형하는 모습

그런 이후에 #25/06 – #20/06 – #25/04를 사용하여 middle 1/3 부위를 확대 및 성형한다.

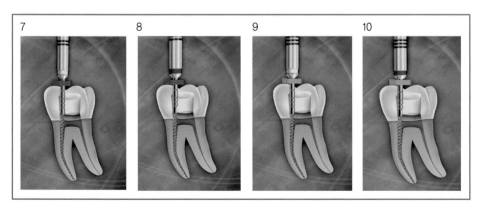

Middle 1/3까지 확대한 후 Profile #20/04, #25/04, #20/06, #25/06을 사용하여 근관장까지 순차적으로 근관 성형하는 모습

마지막으로 apical 1/3는 #20/04 – #25/04 – #20/06 – #25/06으로 근관 확대 및 성형하면 Profile을 사용하여 근관을 최종적으로 #25/06까지 넓히는 것이다. 만약 목표를 #35/06으로 한다면 비슷한 방법으로 사용하는 NiTi file 개수가 늘어날 것이다. 이처럼 근관의 상부를 먼저 넓히고 점점 치근단 부위로 내려가는 형식으로 근관 성형을 하므로 crown–down technique이라고 한다. Crown–down technique으로 근관 성형을 하는 경우 근관의 apical 1/3 부위를 보다 쉽고 안전하며 성형할 수 있고 NiTi file이 받는 힘도 줄여줄 수 있다. 또한 근관 세척을 보다 효과적으로 할 수 있으므로 삭제된 상아질 잔사를 효율적으로 제거할 수 있다.

그렇다면 기본적인 NiTi file의 사용 원칙에 대해서 알아보자.

① NiTi file은 최소한의 힘으로 사용한다. NiTi file을 사용하다 보면 근관 안으로 빨려 들어가려는 힘 즉, screw–in–effect가 있는데 이를 적절히 활용해서 file이 근관 안으로 빨려 들어가지 못하도록 file을 근관 밖으로 빼려는 시도를 끊임없이 해야 한다. 그러면 저절로 최소한의 힘으로 NiTi file을 사용하게 된다.

② NiTi file은 Endo engine에서 돌고 있는 상태에서 근관 내부로 진입하고 돌고 있는 상태에서 근관 밖으로 나와야 NiTi file이 근관 벽에서 박히는 것을 예방할 수 있다.

③ 익숙해지면 술자가 어느 정도 조절할 수 있지만 endo engine은 가급적 제조사에서 지시하는 회전수(rpm)와 토크(Ncm)를 사용하는 것이 좋다.

④ Endo engine에 "auto–reverse" 기능이 있는데 이를 적극 활용한다. Auto–reverse를 클릭한 상태에서 endo motor를 사용하면 설정해 놓은 토크값 이상의 힘을 NiTi file이 받게 되면 회전이 멈추고 반대 방향으로 돌아서 상아질에 박혀 있는 NiTi file이 풀려나오게 된다. 그러면 술자는 NiTi file을 근관에서 빼낼 수 있는데 NiTi file에 걸려있던 힘이 해소되면 다시 NiTi file이 원래의 방향으로 회전하면서 작동하게 되고 술자는 다시 근관 성형을 할 수 있게 된다.

⑤ NiTi file이 한 번의 stroke (pecking motion or in and out motion)에 약 0.5–1.0 mm 전진해야 한다. 만약 전진하지 않는다면 즉시 근관 밖으로 빼낸 후에 한 단계 낮은 NiTi file로 다시 시도한다. 그렇지 않고 계속 사용하다 보면 ledge나 transportation이 발생하거나 file separation이 될 수 있으니 주의해야 한다.

⑥ Glide path를 정확히 형성하고 NiTi file이 3–5번의 pecking motion으로 근관장까지 들어갈 수 있도록 자신만의 루틴을 만들어간다.

⑦ NiTi file은 근관 윤활제와 함께 사용해야 사고를 줄일 수 있다.

⑧ NiTi file이 근관에 들어갔다 나오면 약 1 mL의 NaOCl로 근관 세척을 한다.

⑨ NiTi file을 사용한 후 횟수를 정확히 체크하고 석회화나 만곡이 심했던 경우 사용 횟수를 줄여야 file separation을 예방할 수 있다.

⑩ NiTi file 사용 전에 항상 날을 빛에 비추어서 변형이 관찰되면 사용하지 않는다.

⑪ 순서가 정해져 있는 NiTi file을 사용하는 경우 가급적 file의 순서를 건너 띄지 않는다.

⑫ NiTi file을 교체하는 경우 apical patency를 한 번씩 확인한다.

NiTi file은 NiTi file마다 가지고 있는 특징에 따라 다양하게 나눌 수 있는데 큰 카테고리로 묶어 특징을 정리하여 나타내면 다음과 같다.

1세대: 가장 초기의 NiTi file로 conventional NiTi alloy로 만들어졌다는 특징이 있고 Profile, K3 등과 같은 NiTi file이 있다.

2세대: 근관 성형에 대한 효율을 높이기 위해서 다양한 NiTi file의 단면적과 디자인을 부여했다. ProTaper/ProTaper Universal의 경우 progressive taper, S-apex의 경우 reverse taper, Lightspeed LSX는 round shaft without taper, Race는 alternative pitch, Revo-S는 off-centered cross section을 부여하였다.

3세대: Cyclic fatigue에 의한 file separation을 예방하기 위해 다양한 열처리와 wire를 사용하였다. K3XF와 TF는 R-phase 처리를 하였고 GT series X와 ProTaper Next는 M wire, Hyflex CM와 Typhoon은 CM wire, Hyflex EDM은 electric discharge machining 처치를, ProTaper Gold는 Gold wire, Vortex Blue는 Blue wire, 2-Shape은 T wire를 사용하였다.

4세대: 기존의 Endo engine은 rotation mode로 사용하였는데 4세대는 reciprocating motion을 사용하였고 4세대 초기에는 Reciproc과 WaveOne이 M wire로 만들어졌고 이후에 WaveOne Gold는 Gold wire, Reciproc Blue는 Blue wire를 사용하였다.

5세대: 이전 세대와는 달리 oscillation (Self adjustive file, SAF)과 형태적인 변화(XP-endo shaper, TruShape)를 부여한 특징을 가지고 있다.

그러면 이제 각 세대별로 대표적인 NiTi files의 사용법에 대해서 자세히 살펴보자.

(1) Profile

초보자가 사용하기에 가장 적절하다고 평가받는 NiTi file은 Profile이다. 삭제하는 날이 negative rake angle을 가지고 있어서 삭제가 공격적이지 않고 radial land가 3개 있어서 원래의 근관을 쉽게 벗어나지 않고 사용할 수 있다.

Profile은 orifice shaper (OS, 빨간 띠 3줄)와 06 taper (빨간 띠 2줄), 04 taper (빨간 띠 1줄), 02 taper (초록색 띠 1줄)가 있고 크기도 매우 다양하게 구성되어 있다.

근관에 따라 다를 수 있으나 일반적으로 Profile OS는 coronal 1/3를 확대하거나 재근관치료 시 gutta percha (GP)를 제거할 때 사용하고, 06 taper는 middle 1/3 부위를 성형, 04 taper는 apical 1/3 부위를 성형, 02 taper는 심한 만곡이 있는 apical 1/3부위를 성형할 때 주로 사용한다.

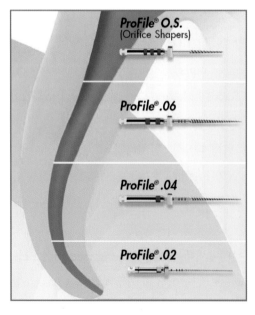

Profile (350 rpm, 3.0 Ncm)

Profile은 회전수는 350 rpm, 토크는 3.0 Ncm로 사용하고 넓은 근관, 중간 근관, 좁은 근관에서 사용하는 일반적인 근관 성형을 알아보면 다음과 같다. 물론 익숙해지면 약간의 변형은 가능하므로 일반적인 사용 방법으로 생각하면 된다.

① 넓은 근관

- Coronal 1/3: OS #5(#60/08) − OS #4(#50/07)
- Middle 1/3: #35/06 − #30/06 − #35/04 − #30/04
- Apical 1/3: #30/04 − #35/04 − #30/06 − #35/06

② 중간 근관

- Coronal 1/3: OS #4(#50/07) − OS #3(#40/06)
- Middle 1/3: #30/06 − #25/06 − #30/04 − #25/04
- Apical 1/3: #25/04 − #30/04 − #25/06 − #30/06

③ 좁은 근관

- Coronal 1/3: OS #3(#40/06) − OS #2(#30/06)
- Middle 1/3: #25/06 − #20/06 − #25/04 − #20/04
- Apical 1/3: #20/04 − #25/04 − #20/06 − #25/06

이렇게 Profile은 근관의 상부를 먼저 넓히고 점차 치근단으로 내려가면서 근관을 성형한다. Middle 1/3까지 넓히고 근관장을 측정하면 근관장의 변화를 줄이는 데 도움이 되기도 한다. 아울러 근관 성형을 마무리한 후 근관의 크기가 큰 경우 MAF 크기를 늘리기도 한다.

(2) ProTaper (PT) & ProTaper Universal (PTU)

PT/PTU은 orifice shaper인 Sx와 shaping file인 S1, S2, 그리고 finishing file인 F1, F2, F3, (F4, F5)로 구성돼 있고 shaping file은 주로 상부를 넓히고 finishing file은 치근단 부위를 넓히는 용도로 사용된다. Shaping file인 S1은 #17, S2는 #20 크기이고 taper가 하나로 고정되어 있지 않고, file tip에서 shank 쪽으로 올라갈수록 증가하는 형태를 가지는 데 반해 finishing file은 팁에서 올라갈수록 taper가 감소하는 형태를 가지며, F1(#20/07), F2(#25/08), F3(#30/09), F4(#40/06), F5(#50/05) 5개로 구성되어 있다. 회전수는 350 rpm, 토크는 약 2.5 Ncm로 사용한다.

PT는 NiTi file에서 가장 혁신적인 역할은 한 것 중의 하나로 기존의 crown-down technique과는 약간 다르게 sequential technique을 사용한다. Sequential technique은 모든 NiTi file이 근관장까지 도달하는 것으로 PT의 Sx를 제외하고 S1부터 F3까지 근관장까지 도달하면 근관 성형이 되도록 설계되어 있다. PTU의 경우 PT의 F2부터 단면인 풍융한 삼각형의 모양에서 날과 날 사이를 일부분 움푹하게 만들어서 file의 유연성을 보완한 것으로 file의 구성은 PT와 같다.

사용 방법은 coronal 2/3까지 hand file #10, 15으로 부드럽게 전진하고 그 길이까지 PTU S1과 S2로 근관을 성형한다. 그 이후 apical 1/3까지 hand file #10, 15으로 조심스럽게 전진하고 근관장을 측정한다. PTU S1, S2로 근관장까지 근관 성형하고 근관장을 재확인한다. PTU F1을 근관장까지 진입한 후에 #20 hand file로 apical gauging을 하여 꼭 맞는 느낌이 들면 근관 성형을 마무리하고 근관 충전을 하고 느슨하다고 판단되면 PTU F2로 성형하고 다시 #25 hand file로 apical gauging을 시행하여 비슷한 과정을 반복하여 F3을 사용할지 근관 충전을 할지 결정하면 된다. 간혹 6-8개의 한정된 NiTi file로 인해 PT/PTU만으로 해결되지 않는 증례가 있는데 이런 경우 다른 NiTi file system과 혼용해서 사용하면 된다. 이는 PTU의 후속 모델인 ProTaper Next와 ProTaper Gold에도 비슷하게 적용된다.

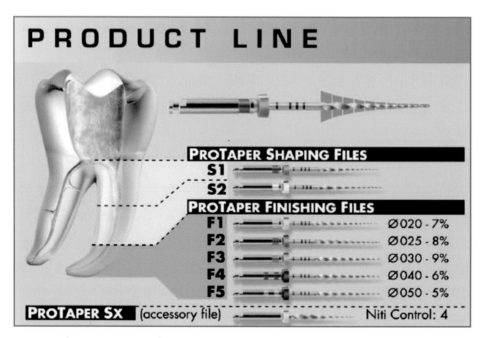

ProTaper (350 rpm, 2.5 Ncm)

(3) Hyflex CM (HCM) & Hyflex EDM (HEDM)

Controlled memory (CM) wire로 만들어진 Hyflex CM과 CM wire에 electrical discharge machining (EDM) 처리로 만들어진 Hyflex EDM은 굉장히 유연하다. 또한 Hyflex CM과 Hyflex EDM의 경우 NiTi file separation의 주된 원인인 cyclic fatigue에 저항하는 힘이 다른 NiTi files에 비해 통계적으로 유의차 있게 높다는 연구 결과도 많다.

HCM과 HEDM을 실온에서 구부리면 구부러진 상태 그대로 유지되는데 이런 성질로 인해 만곡된 근관에서 ledge, transportation 또는 perforation을 최소화하면서 근관 성형이 가능하다. 이는 HCM과 HEDM의 경우 전통적인 NiTi file이 가지는 형상기억(shape memory)의 성질을 실온에서 가지고 있지 않기 때문이다. 이런 형상기억 성질은 약 50도의 HCM과 HEDM이 가지는 austenite finish temperature (A_f temp.) 이하의 온도에서는 나타나지 않게 된다. 따라서 실온에서는 HCM과 HEDM을 휜다 하더라도 원래 상태로 돌아오지 않고 휜 모양을 거의 유지하게 되는 것이다. 이런 성질이 있는 NiTi file의 경우 만곡된 근관에서 보다 안전하게 사용할 수 있는 장점이 있다. 근관 성형 과정에서 약간 펴진 HCM과 HEDM을 A_f temp (약 50도) 이상의 뜨거운 물에 넣거나 autoclave에 넣고 멸균을 돌리면 형상기억의 성질이 살아나서 다시 원래의 모습으로 돌아가게 된다. 단, NiTi file에 가해진 변형이 너무 심한 경우에는 원래의 모양으로 돌아가지 못하는 경우도 있다.

HCM은 orifice opener, 02, 04, 06 taper의 다양한 구성을 가지고 있는데 독특하게 "single length technique"을 위해 만들어진 NiTi file로 straight line access를 형성하고 #20 hand file까지 glide path를 형성한 이후에 근관장을 측정하고 다음과 같은 순서로 근관장까지 근관 성형을 한다.

- 좁은 근관: #15/04, #20/04, #25/04, #30/04, #35/04 순서로 근관장까지 들어간다.
- 중간 근관: 좁은 근관 성형 이후 #40/04, #45/04 순서로 근관의 크기에 맞게 성형한다.
- 넓은 근관: #20/06, #25/06, #30/06, #35/06, #40/06(필요하면 더 넓힐 수 있음)

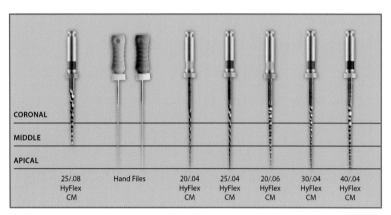

Hyflex CM (500 rpm, 2.5 Ncm)

HEDM은 #25/12(orifice opener), #10/05와 #15/03(glide path), #20/05, #25/~, #40/04, (#50/03, #60/02) 총 8개의 file로 구성돼 있다. 단독으로 사용하기 보다는 Hyflex CM과 함께 사용할 때 더욱 풍성한 방법의 근관 성형이 가능하다(#25/~의 경우 중간에 file의 taper가 달라지므로 하나의 taper로 표기를 할 수 없으므로 물결 표시를 한다). HEDM Glidepath (#10/05, #15/03) file은 300 rpm, 1.8 Ncm로 사용하고 나머지는 400 rpm, 2.5 Ncm으로 사용한다.

사용 방법은 straight line access를 형성하고 #10/05, #15/03로 잠정적인 근관장까지 glide path를 형성한 후 근관장을 측정하고 #20/05, #25/~, #40/04 순서로 사용하면 대략 #35/06 수준으로 근관 성형이 된다. #20/05에서 #25/~로 올라가는 과정에 어려움이 있는 경우라면 그 사이에 HCM #20/06, #30/04를 추가하면 보다 수월하게 사용할 수 있다. 만곡이 심한 경우라면 HEDM #20/05 사용 후 Hyflex CM #30/04로 마무리하는 방법도 있다.

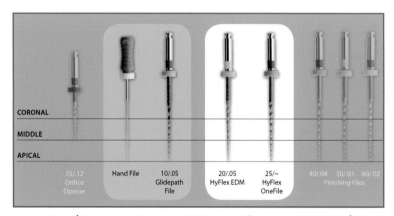

Hyflex EDM (Glidepath: 300 rpm, 1.8 Ncm, 그외: 400 rpm, 2.5 Ncm)

(4) Reciproc Blue

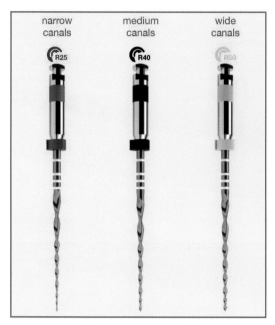

Reciproc Blue (reciprocation mode)

Reciproc Blue는 reciprocating motion으로 사용하는 대표적인 NiTi file로 glide path 형성 없이 사용이 가능하다는 연구가 있을 정도로 유연성이 뛰어나고 삭제력 또한 좋다. 그러나 Reciproc Blue의 경우 "single use only"의 정책으로 인해 가능한 것이므로 기준이 다르다는 점은 숙지하고 사용해야 한다. File은 R25, R40, R50 총 3개로 구성되어 있고 각각 좁은 근관, 중간 근관, 넓은 근관에 사용하기 적당하게 디자인되어 있다.

사용 방법은 straight line access를 확보하고 치근단 방사선 사진을 통해 적절한 file을 선택한다. 근관 내로 부드러운 힘을 이용해 pecking motion으로 들어가되 진폭이 3 mm를 넘지 않도록 전진한다. 3회 정도 pecking motion으로 근관을 성형하고 debris를 제거하는 방법으로 middle 1/3까지 진행한다. #10 hand file로 근관장을 측정하고 #20 hand file이 근관에 잘 안 들어가면 R25(#25/08, red)로 근관 성형하고 #25 hand file로 apical gauging을 하여 꼭 맞게 느껴지면 근관 충전을 #25에 맞춰서 시행한다. 그런데 #20 hand file이 잘 들어가면 R40(#40/06, black)으로 근관 성형을 하고 같은 방법으로 #40 hand file로 apical gauging하여 꼭 맞는 느낌이 든다면 #40에 맞춰 근관 충전을 하면 된다. 만약 #30 hand file이 잘 들어간다면 R50(#50/05, yellow)로 근관 성형 후 같은 방법으로 근관 충전하면 된다.

(5) XP-endo Shaper

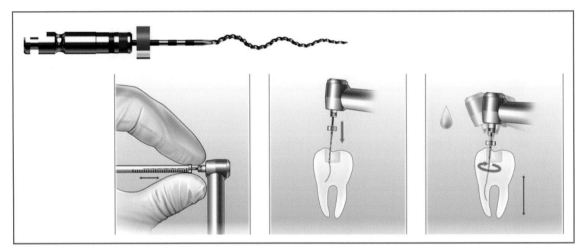

XP-endo Shaper (800 rpm, 1.0 Ncm)

XP-endo Shaper는 minimally invasive endodontics를 대표하는 NiTi file로 #15/01로 근관 확장을 시작하여 #30/04로 마무리하는 one file system이다. MaxWire (Martensite-Austenite Electropolishing-Flex)로 제작되어 있는 XP-endo Shaper는 온도에 따라 형태가 변하는데 체온에서는 원래의 file 형태를 띄지만 차갑게 하면 형태가 바뀌어 근관 내에 넣을 수 있게 변한다. 동봉된 플라스틱 ruler에 file을 넣은 채로 차가운 물에 담그면 #15/01로 변하게 되고 이때 근관장만큼 길이를 정하고 근관 내에 적용한다. 근관 내에서 온도가 상승하면 file의 모양이 구불구불하게 #30/04까지 형태가 변하게 된다.

사용 방법은 #15 hand file로 glide path를 형성한 후 근관에 XP-endo Shaper를 넣고 길고 부드러운 stroke를 최대 5번에 걸쳐 근관장까지 도달한다. 근관 세척 후 근관장까지 추가적으로 15번의 stroke를 시행하고 근관 세척을 하여 근관 성형을 마무리한다.

NiTi file은 세대별로 점점 진화하고 있지만 실제 임상에서는 1세대부터 5세대까지 다양하게 활용되고 있다. 세대와 상관없이 필요한 경우 서로 다른 시스템을 함께 사용하는 hybrid technique으로도 많이 사용된다.

7. Recapitulation

근관 성형을 하면서 수시로 근관 세척을 통해 치수 조직과 상아질 잔사가 근단부에 쌓이는 것을 방지하여야 한다. 그런데 아무리 방지를 하려고 해도 근단부에 이런 물질들이 쌓이는 경우가 있는데 이렇게 기구가 근관 벽에 끼지 않은 상태에서 파일이 근관장까지 들어가도록 하는 것을 recapitulation이라고 하고, 주로 MAF로 설정한 번호의 hand file을 근관장까지 넣는다. 가령, #35/06으로 근관 성형을 마무리 했다면 recapitulation을 위한 hand file의 번호는 #35이 된다. 앞에서도 언급했지만 만약 #35/06으로 근관 성형을 마무리하였는데 recapitulation 하는 과정에서 #35 hand file이 근관장까지 들어가지 않는다면 이후 근관 충전할 때 GP cone도 근관장까지 들어가지 않을 가능성이 있다. 그런 경우 #35 hand file을 "Quarter turn & pull" 방법으로 근관장까지 들어갈 수 있도록 마무리하는 것이 좋다. 이런 과정도 근관 세척(copious irrigation)을 반드시 하면서 시행하는 것이 좋다. 근관 세척은 근관 성형 과정에서 발생할 수 있는 문제를 예방한다는 의미에서 매우 중요한 과정임을 다시한번 강조한다.

그 이후에 canal negotiation 하는 과정에서 얻은 apical patency를 확인하고 근관 세척을 하면 최종적으로 근관 성형은 마무리 된다. 이렇게 근관 내에 NaOCl이 들어있는 상태에서 #10 hand file이 근관장을 1mm 벗어난 길이로 apical patency filing을 하는 것은 술후 통증과 통계적인 유의차가 없다는 메타 연구(meta-analysis)가 있다. 따라서 apical patency를 마지막으로 한 번 더 시행하여 치근단 공이 열려 있는 것을 확인한 후 근관 충전 단계로 넘어가는 것이 좋겠다.

CHAPTER

04

근관충전

근관충전

근관충전은 근관 입구에서 시작해서 치근단공까지 이어지는 전체 근관계를 따라 근관 내부 및 근관과 치주조직 사이의 모든 통로를 밀폐하여 근관계를 폐쇄함으로써 향후 미세누출 등으로 인한 근관과 치근 주위조직의 재감염을 방지하는 것이다.

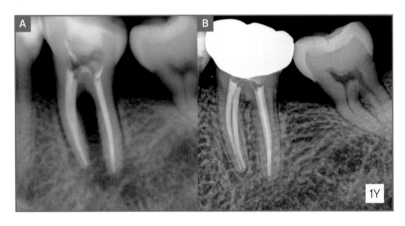

근관충전 직후 방사선 사진(A)과 1년 경과 관찰 시 방사선 사진(B). 1년 경과 관찰 시 치근주위 조직의 양호한 치유양상을 보인다.

1. 근관충전의 목적

1) 근관충전의 목적

근관충전의 목적은 근관계로부터 치주조직으로의 누출통로를 폐쇄하고, 근관 내에 남아있는 자극물 (세균과 그 부산물, 염증물질 등)을 근관계 내에 봉쇄하여 향후 미세누출 등으로 인한 근관과 치근주위조직의 재 감염을 방지하는 데 있다.

2) 근관충전 후 확인할 수 있는 사항

근관충전은 근관치료의 마지막 과정으로서 근관충전 후에 비로소 근관의 모양, 근단공의 위치, 부근관의 존재 등을 확인하게 되는 경우도 많다.

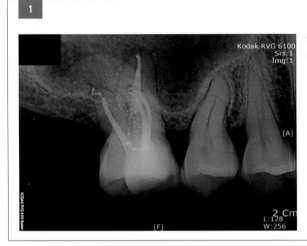

#16 치아의 근관충전 후 방사선 사진
2개의 독립된 근심협측근관의 충전 양상을 보인다.

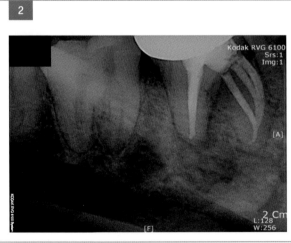

#46 치아의 근관충전 후 방사선 사진
3개로 주행하다 근단부에서 만나는 근심근관들의 충전 양상을 보인다.

2. 근관충전 재료

통상적으로 근관충전은 주 충전재(거타퍼챠 콘)와 보조 충전재(root canal 실러)를 사용하여 이루어지며 개방근첨을 가진 근관 등 통상적 근관충전이 어려운 경우에는 MTA (mineral trioxide aggregate) 등의 재료를 사용하기도 한다.

1) 주 충전재(거타퍼챠 콘)

(1) 거타퍼챠 콘의 크기와 경사도(taper)

거타퍼챠 콘의 크기와 경사도는 master cone selection 과정에서 매우 중요한데 크기는 a, 경사도(taper)는 (c-a)/b로 정의될 수 있다.

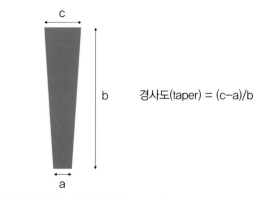

거타퍼챠 콘의 크기와 경사도

(2) 표준화콘, 비표준화콘, 맞춤콘

거타퍼챠 콘은 콘의 끝부분의 크기와 경사도에 따라 표준화콘(standardized cone)과 비표준화콘(non-standardized cone)으로 나뉘며 비표준화콘의 일종인 맞춤콘(matching cone)이 있다.

① 표준화콘(standardized cone)

표준화콘은 콘의 끝부분이 #15-120 등까지 표준화된 파일의 크기와 일치하는 크기를 가지고 있으며, 경사도는 .02, .04, .06 등으로 다양하다. 콘의 끝부분이 명확하고 다양한 크기를 가지고 있으므로 주로 주콘(master cone)으로 사용된다.

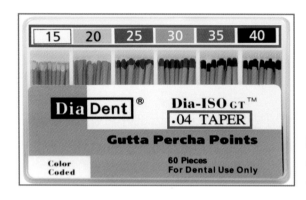

표준화콘(DiaDent사). 콘 끝의 사이즈가 표준화된 파일의 크기와 일치하는 크기와 color coding을 가지고 있으며 경사도도 .02, .04, .06 등으로 다양하다.

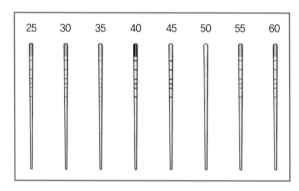

표준화콘에서 콘 끝의 직경은 번호/100 mm이다.

② 비표준화콘

비표준화콘의 콘 끝의 크기는 동일하며 매우 작아 뾰족한(feather tip) 모양을 가진다. 콘의 경사도는 FM (fine medium), M (medium), ML (medium large), L (large) 등으로 표기되어 있으며 FM에서 L로 갈수록 점점 경사도가 커진다. 콘끝의 크기는 작고 경사도는 큰 것이 비표준화콘의 특징이라고 볼 수 있으며 이러한 특징 때문에 주콘(master cone)보다는 액세서리 콘(accessory cone)으로 많이 사용된다.

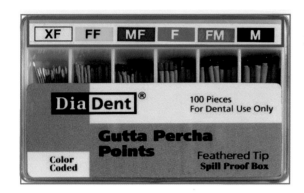

비표준화콘(DiaDent사)

XF (ExtraFine), FF (Fine Fine), MF (Medium Fine), F (Fine), FM (Fine Medium), M (Medium). XF에서 M으로 갈수록 경사도가 커지며 콘 끝의 크기는 동일하게 매우 얇다(Feather tip).

비표준화콘은 콘 끝의 크기가 매우 작기 때문에 액세서리 콘으로 주로 쓰이나 엔도게이지(Endo gauge) 등을 통해 콘 끝을 적당한 크기로 잘라 크기를 부여함으로써 적당한 경사도와 크기를 가진 콘을 만들어 주콘(master cone)으로 사용하기도 한다.

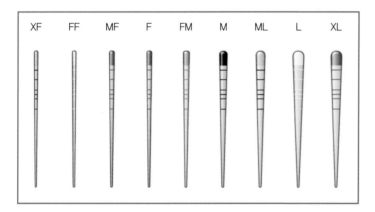

비표준화콘

콘 끝의 크기는 동일하게 매우 작고 경사도가 다양한 형태로 주어져 있다. 주로 액세서리 콘으로 이용되고 엔도게이지 등으로 콘 끝을 잘라 크기를 부여한 후 주콘(master cone)으로 사용하기도 한다.

③ 맞춤콘

근래, 각 회사에서는 각 회사의 NiTi 파일 제품과 동일한 크기를 가지는 거타퍼챠 콘을 제조하여 판매하고 있다. 이 맞춤콘의 장점은 추천되는 각 NiTi 파일 제품들로 근관을 형성한 후 맞춤콘을 사용하면 형성된 근관의 크기에 잘 맞는 거타퍼챠 콘을 쉽게 고를 수 있게 되어 주콘 선택(master cone selection) 시 편리하고 시간이 절약된다는 점이다.

Protaper Universial용 맞춤콘(Dentsply사)

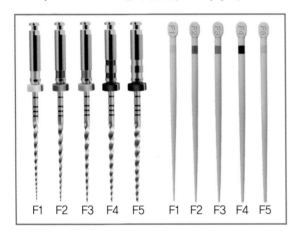

Protaper F1, F2, F3, F4, F5 파일을 사용 후 맞춤콘 F1, F2, F3, F4, F5를 사용하여 충전하면 된다.

Waveone Gold용 맞춤콘(Dentsply사)

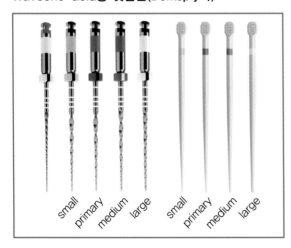

Waveone Gold small, primary, medium, large 파일을 사용 후 small, primary, medium, large를 사용하여 충전하면 된다.

Reciproc용 맞춤콘(VDW사)

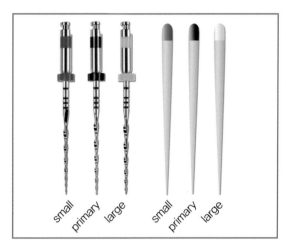

Reciproc small, primary, large 파일을 사용 후 맞춤콘 small, primary, large를 사용하여 충전하면 된다.

2) 보조충전재: 근관실러(Root canal sealer)

보조충전재(근관실러)는 근관내에서 거타퍼챠가 들어갈 수 없는 미세한 공간(isthmus, 부근관, 측방관 등)을 메워주는 역할을 하며, 근관벽과 거타퍼챠를 연결, 접착한다. 근관충전 후 실러가 채워진 모양을 보고 근단공의 위치와 수 등을 알 수 있으므로 근관충전 후 실러의 충전 양상을 확인해 보는 것이 중요하다.

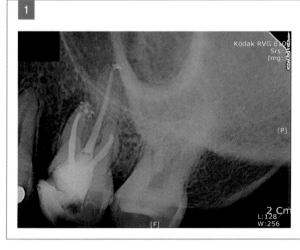

#26 치아의 근관충전 후 촬영한 방사선 사진에서 근심협측 근관의 근단부에 존재하는 다수의 부근관들이 실러에 의해 충전된 것을 볼 수 있다.

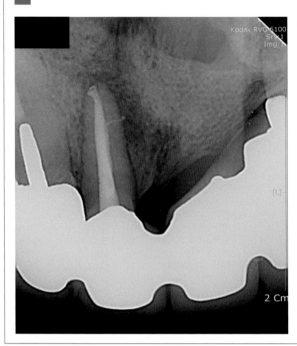

#12 치아의 근관충전 후 촬영한 방사선 사진에서 근단부 1/3에 존재하는 측방관이 실러에 의해 충전된 것을 확인할 수 있다.

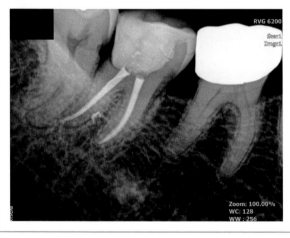

#46 치아의 근관충전 후 촬영한 방사선 사진에서 #47번 원심치근의 근단부 1/3에 존재하는 측방관이 실러에 의해 충전된 것을 확인할 수 있다.

(1) 보조충전재(근관실러)의 종류와 제품들

① AH Plus (Dentsply사)

AH Plus (Dentsply사)는 에폭시 계열의 실러로 가장 많이 사용되는 실러의 하나이며, 작업시간이 충분하고 경화 후 체액에 의한 용해성이 거의 없는 것이 장점이다. 이전 제품이었던 AH-26이 가지고 있던 치질변색성이나 formaldehyde가 방출되는 단점을 개선하였으며, AH-Plus jet는 사용 편의성을 증대시킨 오토 믹스 타입의 제품이다.

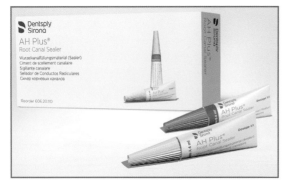 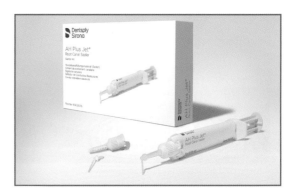

AH Plus (Dentsply사). 우수한 체적 안정성과 불용성이 장점으로 널리 사용되는 제품이다.

표 1 AH Plus (Dentsply사)의 구성성분. Epoxy resin이 주된 구성성분이어서 Epoxy resin계 실러로 분류된다.

AH Plus Paste A	AH Plus Paste B
Bisphenol-A epoxy resin	Dibenzyldiamine
Bisphenol-F epoxy resin	Aminoadamantane
Calcium tungstate	Tricyclodecane-diamine
Zirconium oxide	Calcium tungstate
Silica	Zirconium oxide
Iron oxide pigments	Silica
	Silicone oil

② Endoseal MTA (Maruchi사)

최근 많이 사용되고 있는 실러로서 MTA (칼슘실리케이트)계 실러로 분류된다. 생체친화성이 우수한 것으로 알려져 있고 근관벽과 실러 사이에 밀폐력 좋은 계면(interface)을 만들 수 있으며, 상아세관까지 밀폐시킬 수 있는 가능성이 있는 것으로 알려져 매칭콘(싱글콘) 테크닉 시 사용하기에 적당한 실러로 알려져 있다. 우수한 임상효과가 기대되고 있으며 간편한 사용방법 때문에 사용자가 늘고 있다.

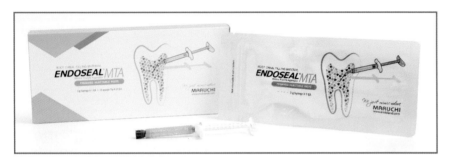

Endoseal MTA. Premixed Type으로 사용이 간편하고 근관폐쇄효과가 좋은 것으로 알려져 매칭콘(싱글콘) 테크닉 사용 시 사용되기에 알맞은 실러로 알려져 있다.

③ Well-root (Vericom사)

Well root는 MTA (칼슘실리케이트)계 실러로서 다른 칼슘실리케이트계 실러와 마찬가지로 매칭콘(싱글콘) 테크닉과 함께 사용될 수 있다. 흐름성이 좋고 흰색을 띠고 있는 장점이 있다.

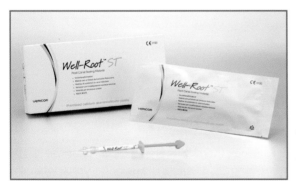

Well-root (Vericom사). MTA (칼슘실리케이트)계 실러로 흐름성이 좋고 순백색을 가지고 있으며 매칭콘(싱글콘) 테크닉 사용 시 사용되기에 알맞은 실러로 알려져 있다.

④ CeraSeal (Metabiomed사)

CeraSeal은 MTA (칼슘실리케이트)계 실러로서 흐름성이 좋고 흰색을 띠고 있어 다른 칼슘실리케이트계 실러와 마찬가지로 매칭콘(싱글콘) 테크닉와 함께 사용될 수 있다.

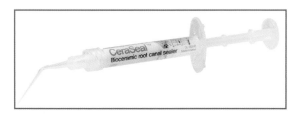

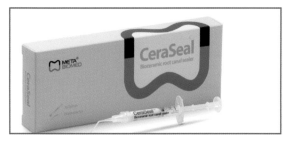

CeraSeal (Metabiomed사). CeraSeal은 MTA (칼슘실리케이트)계 실러로서 다른 칼슘실리케이트계 실러와 마찬가지로 매칭콘(싱글콘) 테크닉와 함께 사용될 수 있다. 흐름성이 좋고 흰색을 띠고 있다.

⑤ Sealapex (Kerr사)

Sealapex는 수산화칼슘계 실러로서 우수한 생체적합성을 바탕으로 오랜기간 임상에서 사용되어왔다. 오랜기간 임상적 안정성이 확보된 점이 가장 큰 장점으로 생각되지만 경화시간이 빠르고 조직액과 접촉 시 용해된다는 점이 단점으로 지적되고 있다.

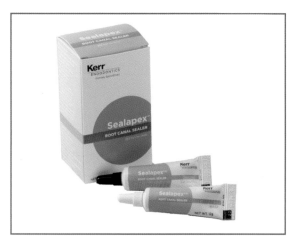

Sealapex (Kerr사). 수산화칼슘계 실러로서 우수한 생체적합성과 오랫동안 임상에서 사용되어진 안정성 있는 재료이나 경화시간이 빨라 임상에서 사용하기에 불편한 면이 있고 조직액과 접촉 시 용해성이 크다는 단점도 지적되고 있다.

⑥ Guttaflow2 (Coltene사)

실리콘을 기본재료로 하고 있어 실리콘계열 실러로 분류된다. 이 실러는 실리콘에 매우 작은 입자의 거타퍼챠 파우더를 혼합한 형태여서 실러와 거타퍼챠 사이의 좋은 밀폐를 얻을 수 있을 것으로 기대된다. 그리고 실리콘의 경화 팽창이 실러와 근관벽 사이의 밀폐도를 향상시킬 수 있을 것으로 기대되어 매칭콘(싱글콘) 테크닉과 함께 사용되기에 알맞은 실러로 기대되고 있다.

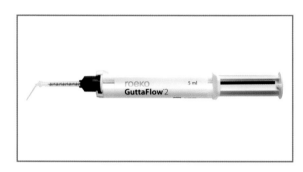

Guttaflow2 (Coltene사). 실리콘과 미세한 거타퍼챠 분말이 혼합된 형태의 실러로서 흐름성이 좋고 경화 시 수축되지 않으며 약간 팽창하는 성질이 있어 매칭콘(싱글콘) 테크닉과 함께 사용되기에 적절한 실러로 기대되고 있다.

3. 근관충전 방법

근관충전을 위해서는 일반적으로 측방가압법(lateral condensation), 수직가압법(vertical condensation), Continuous wave of condensation technique 또는 매칭콘(싱글콘)법이 많이 사용된다.

1) 근관충전 전 준비

(1) Apical clearing

근관충전을 하려고 하면, MAF 파일은 근관장 끝까지 들어가는데 마스터 콘은 근관장 끝까지 잘 들어가지 않는 경우가 있다. 이러한 현상에는 여러 가지 이유가 있겠지만 근관내에 상아질삭편이 존재하여 마스터 콘이 들어갈 길을 막고 있는 경우가 대표적인 원인이다. 이러한 경우에 사용할 수 있는 방법이 apical clearing이라고 할 수 있다.

Apical clearing은 MAF 파일을 손가락으로 잡고 근관장까지 삽입한 후 시계방향으로 몇 바퀴 돌려주어(dry reaming) 근관이 개방되어 있는지, MAF가 근관장만큼 들어가는지를 근관충전 전에 최종적으로 확인하는 과정이다.

MAF 파일을 손가락으로 잡고 근관장까지 삽입한 후 시계방향으로 몇 바퀴 돌려주어 근관이 개방되어 있는지, MAF가 근관장만큼 들어가는지 확인한다.

2) 측방가압법

측방가압법의 순서는 master cone selection, 실러의 혼화 및 주입, 마스터 콘의 삽입, 스프레더와 액세서리 콘의 삽입, 거타퍼챠 콘의 상부 잉여 부위 제거로 이루어진다.

(1) Master cone selection

Master cone selection을 위해서 표준화콘을 사용하는 경우는 MAF (Master Apical File)과 같은 크기를 가지며 MAF와 같은 경사도 혹은 한 단계 작은 경사도를 가지는 거타퍼챠 콘을 먼저 선택한다. 그 후 선택된 거타퍼챠 콘의 작업장만큼에 해당하는 부위에 핀셋으로 힘을 가해 집어주어 자국을 남긴다.

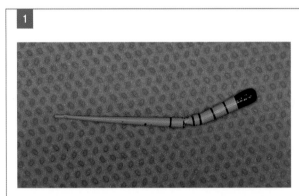

마스터 콘(master cone)을 작업장에 해당하는 부위에서 핀셋으로 눌러 자국을 남긴다.

마스터 콘으로 비표준화콘을 사용하는 경우, 비표준화콘은 뾰족한 팁(feather tip)을 가지므로 콘끝의 크기를 원하는 사이즈로 만들기 위해서는 엔도게이지를 사용한다.

2

비표준화콘의 끝부분을 원하는 사이즈로 잘라 마스터 콘으로 만들어주기 위해 사용되는 엔도게이지

수치가 표시된 hole이 있어 비표준화콘을 이 hole에 넣고 튀어나온 부분을 끊어내면 원하는 크기를 가지는 콘을 만들 수 있다.

3

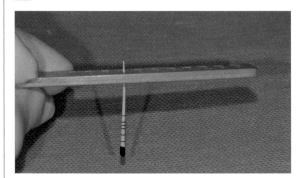

엔도게이지에 거타퍼챠 콘을 꽂은 모습이며 튀어나온 부분을 면도칼로 제거하여 원하는 크기를 갖는 콘을 만든다.

4

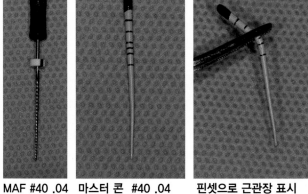

만일 #40의 크기를 가지는 MAF를 사용했다면 #40 크기를 가지는 마스터 콘을 작업장까지 표시하여 근관 안에 넣어본다.

MAF #40 .04   마스터 콘 #40 .04   핀셋으로 근관장 표시

이렇게 마스터 콘을 근관내에 넣었다면 다음의 세 가지를 체크해본다.

① 작업장(혹은 0.5-1 mm 짧은 지점)까지 거타퍼챠 콘이 잘 들어가는지
② 근관장을 넘어 거타퍼챠 콘을 밀었을 때 근관장 넘어까지 들어가는지
　　- 이런 경우 한 단계 더 큰 콘을 선택해야 한다.
③ 작업장까지 들어간 거타퍼챠 콘을 제거할 때 약간의 저항감(tug back sensation)이 느껴지는지

위의 세 조건을 만족시키는 콘은 일반적으로 마스터 콘으로 사용해도 된다.

1

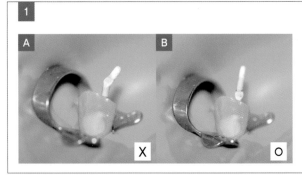

근관에 마스터 콘을 넣어봤을 때 덜 들어간 경우(**A**)와 제대로 들어간 경우(**B**)

2

마스터 콘은 근관장까지 위치되어야 한다.

3

마스터 콘이 근관장만큼 들어가지 않는 경우 MAF와 근관장을 다시 한번 확인하고 그래도 들어가지 않으면 콘의 크기나 테이퍼를 줄여서 다시 시도한다.

4

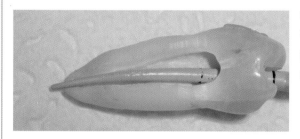

마스터 콘을 근관장 너머로 밀어보았을 때 근단공을 쉽게 넘어가는 경우는 마스터 콘의 크기가 너무 작은 것이므로 콘을 거타퍼챠 게이지나 가위로 잘라 끝을 크게 하거나 테이퍼가 한 단계 큰 콘을 사용한다.

5

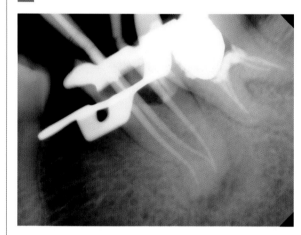

적절한 마스터 콘을 고른 후에는 근관내에 삽입 후 엑스레이를 찍어 길이가 적절한지 최종적으로 확인한다.

6

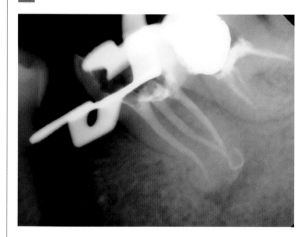

마스터 콘의 길이와 테이퍼가 적당한 것으로 방사선 사진 상에서 확인되면 근관충전을 시행한다.

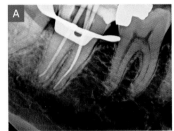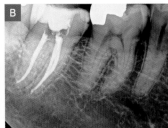

마스터 콘 삽입 후 촬영한 방사선 사진에서 근심쪽 콘이 근단공을 약간 넘어가는 것으로 보인다(**A**). 마스터 콘의 길이를 조금 짧게 조정한 후 근관충전을 마무리하였다(**B**).

(2) 실러의 혼화(mixing)

정확한 크기의 마스터 콘을 골랐으면 그 다음 단계는 실러를 적절한 흐름성을 가지도록 혼화(mixing)해야 한다. 실러의 혼화는 일반적으로 제조사의 지시에 따르는 것이 좋으며 일반적으로 크림처럼 흐를 수 있는 형태가 적당하다.

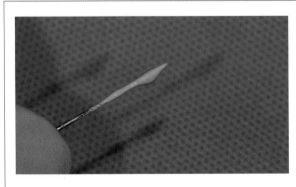

혼화된 실러. 적당한 흐름성을 가지도록 제조사의 지시에 따른 혼수비를 맞추어 혼화한다.

(3) 실러의 근관내 적용

실러를 근관내에 적용하는 방법은 여러 가지가 있는데 Master Apical File (MAF)을 이용하는 방법, 마스터 콘에 묻혀서 적용하는 방법, 또는 Leutulo spiral을 이용하여 도포해주는 방법 등이 있다

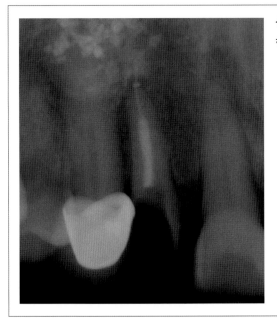
실러의 과도한 적용은 치근단 조직에 해를 입힐 수 있어 조심해야 한다.

(4) 마스터 콘 삽입

마스터 콘을 천천히 근관장까지 삽입한다.

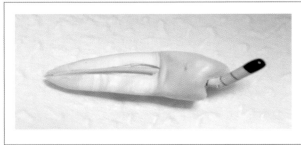
마스터 콘을 천천히 근관장까지 삽입한다.

(5) 스프레더의 준비

스프레더는 거타퍼챠 콘을 근관벽으로 압박하여 액세서리 콘이 삽입될 수 있는 자리를 만드는 용도로 사용되며 핸드 스프레더와 핑거 스프레더가 있는데 일반적으로 핑거 스프레더가 사용하기 편리하여 선호된다.

핸드 스프레더(A)와 핑거 스프레더(B)

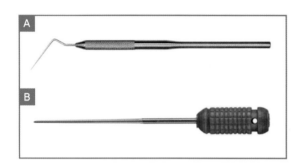

일반적으로 핑거 스프레더가 더 사용하기 편리하다.

(6) 스프레더와 액세서리 콘의 삽입

스프레더를 근관장에서 1 mm 짧은 곳까지 위치되도록 삽입한다. 삽입된 스프레더가 마스터 콘을 측방으로 밀어 액세서리 콘이 들어갈 자리를 만들고 난 후 스프레더를 장축으로 조심스럽게 회전시키며 제거하고 그 자리에 적당한 테이퍼를 가진 액세서리 콘에 실러를 약간 묻혀 위치시킨다. 스프레더 제거 과정에서 마스터 콘이 같이 딸려 나오지 않도록 조심해야 한다.

한 개의 액세서리 콘을 삽입한 후 다시 방금 전과 같은 방법으로 스프레더를 밀어 넣는다. 방금 전보다 스프레더가 조금 짧게 들어가는 것이 정상이다. 이렇게 만들어진 공간에 다시 액세서리 콘을 삽입한다. 위와 같은 과정을 반복하다 보면 스프레더가 들어가는 길이는 점점 짧아진다. 액세서리 콘이 3-7개 정도 들어가고 스프레더가 근관 중간 이상 들어가지 않을 정도가 되면 방사선 사진을 찍어서 근관충전상태를 확인한다(Mid-obturation X-ray).

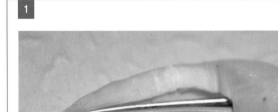

1

스프레더의 삽입
마스터 콘을 삽입한 후 스프레더를 근관장에서 1 mm 짧은 곳까지 들어가도록 위치시킨다.

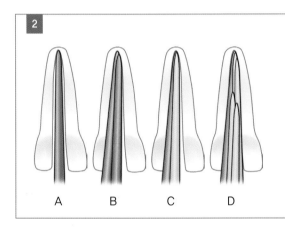

2

A. 마스터 콘이 삽입된 모습, B. 스프레더가 근관장에서 1 mm 짧은 곳까지 삽입된 모습, C. 스프레더의 제거 후 한 개의 액세서리 콘이 삽입된 모습, D. 같은 방식으로 마스터 콘과 액세서리 콘이 측방으로 가압되면서 점점 많은 액세서리 콘이 삽입되고 있는 모습을 보여주고 있다. 액세서리 콘을 삽입할 때 약간의 실러를 묻혀주는 것이 좋으며 액세서리 콘이 하나하나 삽입될 때마다 그 삽입 깊이는 조금씩 줄어드는 것이 정상이다.

Mid-obturation X-ray에서 확인한 근관충전의 상태가 양호하면 근관의 입구에서 가열기구를 이용하여 여분의 거타퍼챠 콘을 잘라준다. 그 후, 연화된 거타퍼챠 콘을 plugger를 사용하여 근관 입구에서 약약 1 mm 하방까지 다져준다.

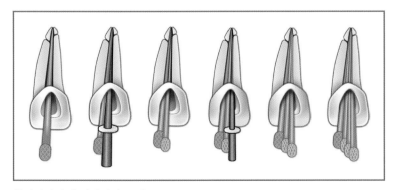

측방가압법 충전과정의 도해

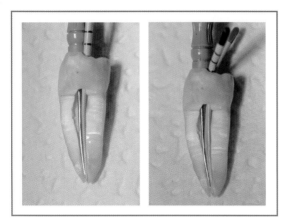

측방가압법 충전과정

3) 수직가압법

수직가압법에 있어서도 master cone selection 과정은 측방가압법에 있어서와 같다. 그러나 수직가압법은 거타퍼챠를 열과 함께 수직적으로 가압하는 것이므로 열을 가하기 위한 기구가 필요하고 이러한 기구의 사용법에 숙련되어야 하기 때문에 상당 기간의 연습이 필요하다.

(1) 수직가압법을 위한 기구

① 열전달 장치

열전달 장치는 수직가압법 시행 시 근관내에 삽입된 주콘(master cone)에 열을 전달하여 거타퍼챠를 연화시키고 끊어내는 역할을 한다. 근관내 열전달 장치는 여러 회사의 다양한 제품들이 소개되어 있다.

열전달 장치, 듀오 알파(B&L사)

열전달 장치, EQ-V Pack (Metabiomed사)

② Heat plugger (열전달 장치의 일부)

열전달 장치의 끝에는 heat plugger가 체결되어 있는데 heat plugger는 열전달 장치 끝에 연결 및 분리될 수 있는 tip으로 끝부분에서 열이 발생된다. 열전달 장치에는 스위치가 있어서 스위치를 켜면 heat plugger의 tip에서 약 200도의 열이 발생되며 스위치를 끄면 heat plugger의 열발생이 중단된다. 마스터 콘에 열을 가하면서 위에서 아래로 가압하여 cone의 상부를 끊어내게 된다.

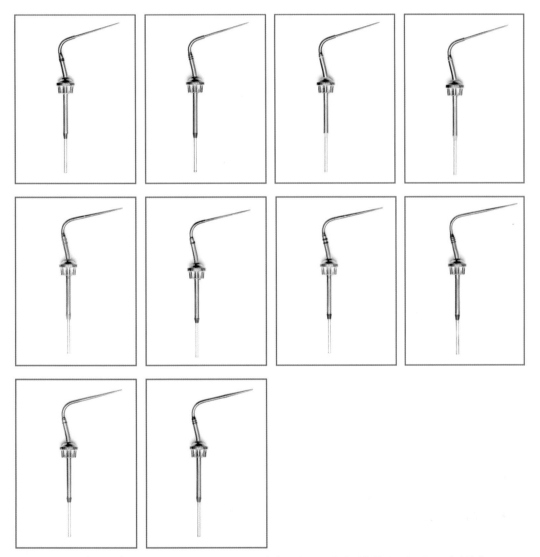

Heat plugger (B&L사). 다양한 크기를 가지고 있어 여러 크기의 근관에 적용할 수 있도록 고안되었다.

③ Back-filling용 기구

마스터 콘을 열전달 장치를 사용하여 위에서 아래로 가압하면 거타퍼챠는 연화되어 근관의 근단부를 채우게 되고 그 이후에 비어있는 근관의 상부를 채워주어야 하는데 상부를 채우는 것을 back-fill이라고 하고 이를 위한 back-fill용 기구가 필요하다.

Back-filling용 기구, 듀오 베타(B&L사)

Back-filling용 기구, EQ-V Fill (Metabiomed사)

④ 근관용 핸드 플러거(hand plugger)

Heat plugger를 사용하여 마스터 콘에 열을 가하며 가압하면서 주콘(master cone)의 상부를 제거하고 난 후에는 남아있는 근단부의 마스터 콘을 눌러서 응축시켜주어야 하는데 이를 위해서는 근관용 hand plugger가 필요하다. 또한 근관용 hand plugger는 back filling 과정에서 back filling 장비를 통해 주입된 연화된 거타퍼챠를 근관내에서 응축시키는 역할을 한다.

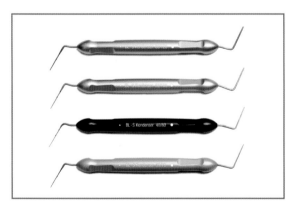

근관용 hand plugger (B&L사)
다양한 사이즈의 tip을 가지고 있다.

(2) 수직가압법을 위한 준비

① 적절한 크기의 heat plugger 선택

형성된 근관내에 여러 가지 크기의 heat plugger를 맞춰보면서 그중에서 근첨에서 3 mm 상방까지 들어가면서 binding되는 느낌을 얻을 수 있는 heat plugger를 선택한다.

② 근관용 hand plugger의 준비

수직가압법 시행 전 근관용 hand plugger는 세 가지 크기로 골라 준비하여야 하는데 근첨에서 약 3 mm까지 들어가는 것, 6 mm까지 들어가는 것, 그리고 9 mm까지 들어가는 것, 모두 3개의 근관용 hand plugger를 미리 골라두어야 한다.

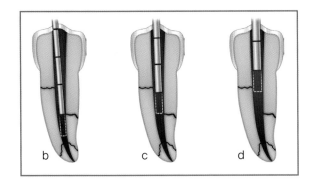

근관용 hand plugger의 선택

근첨에서 약 3 mm, 6 mm, 9 mm 상방까지 각각 들어가면서 각 지점에서 binding되는 느낌을 얻을 수 있는 근관용 hand plugger를 선택한다.

(3) 수직가압법의 과정

① Down-packing

수직가압법(down-packing)은 down packing과 back-filling으로 이루어지며, 아래와 같은 과정을 통해 이루어진다.

a. 실러를 도포한 거타퍼챠 마스터 콘을 근관내에 위치시킨다.
b. 열발생 장치의 스위치를 눌러 heat plugger의 끝부분에서 열을 발생시키면서 근관 입구에서 2-3 mm 까지 넣어 거타퍼챠를 잘라낸다.

c. 근관내 치관부 1/3의 거타퍼챠가 연화되었으므로 선택한 hand plugger 중 가장 큰 size를 사용하여 이 부분을 가압한다.

d. 열발생 장치의 스위치를 눌러 heat plugger의 끝부분에서 열을 발생시키면서 근관 입구에서 5-6 mm 까지 넣어 거타퍼챠를 잘라낸다.

e. 근관내 중간부 1/3의 거타퍼챠가 연화되었으므로 선택한 hand plugger 중 중간 크기를 사용하여 이 부분을 가압한다.

f. 열발생 장치의 스위치를 눌러 heat plugger의 끝부분에서 열을 발생시키면서 근단에서 3-4 mm까지 넣어 거타퍼챠를 잘라낸다.

g. 근단부 1/3의 거타퍼챠가 연화되었으므로 선택한 hand plugger 중 가장 작은 것을 사용하여 이 부분을 가압한다.

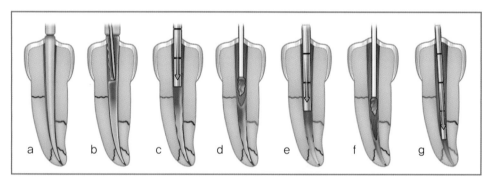

수직가압법 중 down-packing 과정의 도해

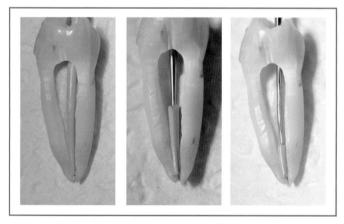

수직가압법 중 down-packing 과정에서 사용되는 heat plugger가 근관내 위치된 사진

② Back filling

수직가압법 중 back filling은 다음의 과정을 통해 이루어진다.

a. Back filling용 주입기의 끝이 치근단에 충전되어 있는 거타퍼챠에 닿을 때까지 삽입한 다음 3초간 머물러 근단부 거타퍼챠를 다시 가온시킨다.

b. 주사용 주입기의 방아쇠를 잡아당겨 거타퍼챠가 근관내로 분출되게 하며 주사용 주입기의 후방 압력을 느끼며 서서히 후퇴한다.

c. 주입된 거타퍼챠를 hand plugger를 사용하여 수직가압한다.

d. e. f. g. 일회당 3 내지 4 mm씩 주입하며, 2 또는 3회에 걸쳐 나누어 거타퍼챠를 주입하고 가압충전한다.

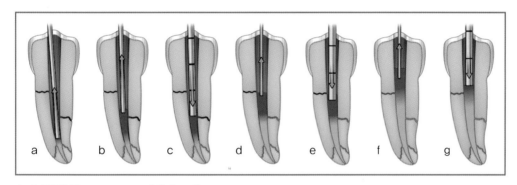

수직가압법 중 back filling 과정의 도해

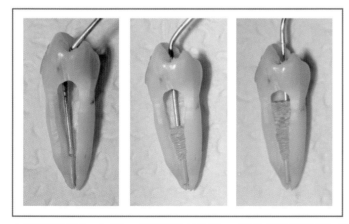

수직가압법 중 back filling 과정에서 사용되는 기구의 끝이 근관내에 다양한 깊이로 위치된 사진

4) Continuous wave of condensation technique (수직가압법의 변형)

수직가압법의 변형인 continuous wave of condensation technique은 거타퍼챠를 가압하여 끊어내는 과정이 수직가압법에서는 약 3번에 나누어 행해지는 반면, continuous wave of condensation 방법에서는 단계별로 나눠짐이 없이 연속적인 한 번의 동작으로 이루어지는 것이 차이점이다.

(1) Continuous wave of condensation technique을 위한 기구의 준비는 수직가압법과 동일하다.

(2) Continuous wave of condensation technique을 위한 준비

① 근첨에서 4-6 mm 떨어진 지점까지 들어갈 수 있고 그 지점에서 binding될 수 있는 heat plugger를 준비한다.

② 근첨에서 3 mm, 6 mm, 9 mm 떨어진 지점까지 들어갈 수 있는 근관용 hand plugger를 준비한다.

(3) Continuous wave of condensation 과정

① Down-packing

Continuous wave of condensation 과정의 down-packing은 다음의 과정으로 이루어진다.

a. 근단부 4-6 mm에 적합하는 heat plugger의 tip을 선택한다.

b. 근관을 건조하고 실러를 도포한 다음 거타퍼챠 주콘(master cone)을 근관에 삽입한다.

c. 열발생 장치의 열발생 버튼을 눌러 열이 발생되게 하여 heat plugger 끝이 거타퍼챠를 눌러서 녹이게 하면서 근단부 약 4-6 mm까지 진행시킨다.

d. 근단부 약 4-6 mm까지 도달하고 나면 열발생 버튼에서 손가락을 떼어 열발생을 멈추고 그 상태에서 10초간 heat plugger에 약간의 근단부 압력을 가해 녹은 거타퍼챠를 근관내에 압접한다.

e. 열발생 버튼을 다시 눌러 heat plugger를 재가열시켜 잠시 근단 방향으로 압을 가했다가 heat plugger를 근관에서부터 제거한다. 이때 녹은 거타퍼챠의 상부가 heat plugger와 함께 딸려 나와야 한다.

f. 연화된 근단부 거타퍼챠를 근관용 hand plugger로 수직가압한다.

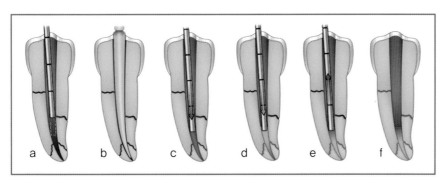

Continuous wave of condensation 방법 중 down-packing 과정의 도해

② Back-packing

Continuous wave of condensation technique의 back filling은 다음의 과정을 통해 이루어진다.

a. back filling용 주입기의 끝이 치근단에 충전되어 있는 거타퍼챠에 닿을 때까지 삽입한 다음 3초간 머물러 근단부 거타퍼챠를 다시 가온시킨다.

b. 주사용 주입기의 방아쇠를 잡아당겨 거타퍼챠가 근관내로 분출되게 하며 주사용 주입기의 후방압력을 느끼며 서서히 후퇴한다.

c. 주입된 거타퍼챠를 hand plugger를 사용하여 수직가압한다.

d. e. f. g. 일회당 3 내지 4 mm씩 주입하며, 2 또는 3회에 걸쳐 나누어 거타퍼챠를 주입하고 가압충전한다.

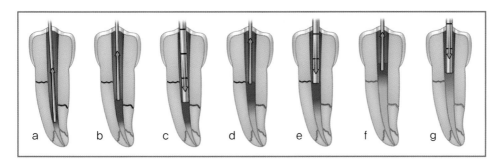

Continuous wave of condensation 과정 중 back-packing 과정의 도해

5) Matching (single) cone technique

보통 MTA (칼슘실리케이트계) 실러와 함께 사용하는 방법으로 별도의 가압 과정을 거치지 않는 방법으로 간편하면서도 근관 밀폐도가 다른 방법에 비해 떨어지지 않는 것으로 여러 논문에서 발표되고 있다.

(1) 매칭콘(싱글콘) 테크닉 과정

매칭콘 테크닉을 사용한 근관충전은 다음과 같은 과정으로 이루어진다.

① 마스터 콘 또는 Pre-mixed syringe를 사용하여 근관내에 충분한 양의 실러를 도포한다.

② 마스터 콘을 천천히 근관내에 삽입한다.

③ 실러를 근관내에 잘 퍼지게 하기 위해 초음파 기구를 거타파챠 콘에 접촉시켜 초음파 진동을 근관내에 적용할 수 있다.

④ 가열기구를 사용하여 근관 입구에서 잉여 거타퍼챠를 제거한다.

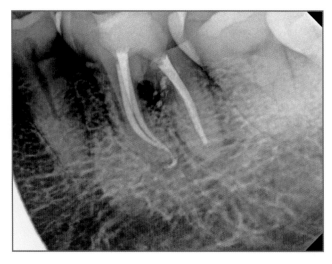

매칭콘(싱글콘) 테크닉을 이용하여 근관충전한 증례

🦷 4. 코어 수복을 위한 준비

근관충전이 끝난 후 거타퍼챠를 근관 입구 하방 1 mm 지점까지 끊어내고 가압하여 압축하고 난 후 실러 등을 알코올 펠렛을 사용해서 근관와동을 청소한다.

하악 대구치에서 근관충전 직후 사진

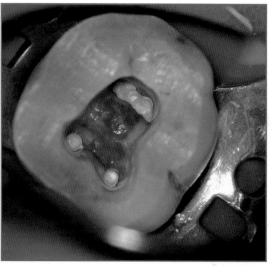

근관 입구에서 거타퍼챠를 제거 압축하고, 근관와동에 묻어 있는 여분의 실러를 제거하여 코어 수복을 준비한다.

CHAPTER

05

각 치아별 근관치료

각 치아별 근관치료

1. 상악 전치의 근관치료

1) 상악 전치의 근관와동형성

1

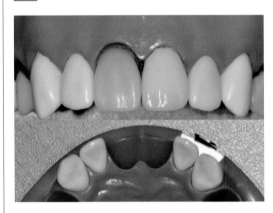

덴티폼에 상악 중절치를 고정한다.

전자근관장 측정기의 원활한 사용을 위하여 전도체가 위치할 공간(근단부 5 mm)은 남겨두고, 유틸리티 왁스를 이용하여 고정한다.

2	**근관와동의 외형**

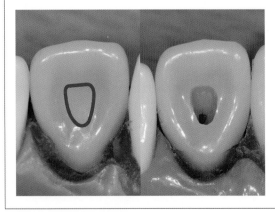

충분히 근접시키고, 치은쪽 변연은 cingulum으로부터 1–2 mm 떨어진 부위에 설정한다.

3 치수강 노출

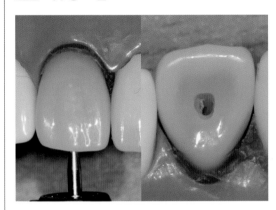

치관설면 와동 외형의 중앙부에서 설면에 수직으로 #330 또는 #4 bur를 사용하여 법랑질을 통과해서 상아질 내로 initial opening을 형성한다.

4

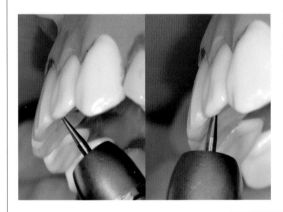

Bur의 방향을 치아 장축에 평행하게 바꾸어 상아질을 천공한 후에는 bur를 안팎으로 움직이며 밖으로 움직일 때만 overhang된 법랑질과 상아질을 제거한다.

5 Overhang 제거 및 coronal flaring

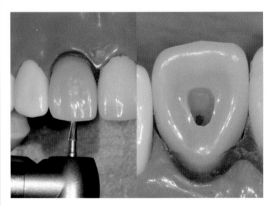

Endo Z bur를 이용하여 overhang된 치질을 제거하며, 와동벽을 평활하게 하고 flare를 준다.
저속 #2 또는 #4 round bur를 이용하여 추후 변색의 원인이 되는 치수각 부위의 잔존 치수를 확실히 제거한다.

6 근관 입구 확인

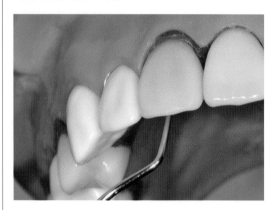

Spoon excavator 등으로 치수강 내용물을 제거하고 세척, 건조시킨 후 Endodontic explorer를 사용하여 근관 입구를 확인한다.

7 Lingual shoulder의 제거

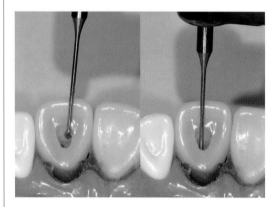

저속의 #4 long shank bur나 Gate-Glidden drill을 이용하여 안에서 밖으로 움직이면서 lingual shoulder를 제거한다.

8

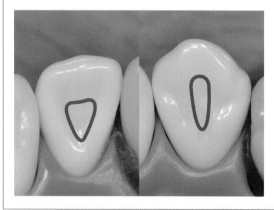

상악 측절치 근관와동형성
상악 중절치와 유사하다.

상악 견치 근관와동형성
상악 중절치의 술식과 동일하나 단지 access opening의 shape은 유사하다.

상악 전치의 근관와동형성 평가지

학번		이름		날짜	20 년 월 일

평가내용/점수	잘함	보통	미흡
근관와동의 크기와 형태, 각도가 적절한가			
근관와동이 변연융선을 침범하여 치질을 약화시키지 않았는가			
근관이 발견되었는가			
치수각(pulp horn)이 적절히 제거되었는가			
Lingual shoulder가 적절히 제거되었는가			
상부가 넓고 하부가 좁은 평활한 와동벽이 형성되었는가			
근관 입구까지 직접적 접근(direct access)이 만들어졌는가			
Gouging이 만들어지지 않았는가			
천공이 만들어지지 않았는가			
전반적인 근관와동형성의 완성도			

기타 평가사항

평 가 자	(서명)	술 자 확 인	(서명)

2) 상악 전치의 근관형성

1 전자근관장 측정기를 이용한 측정

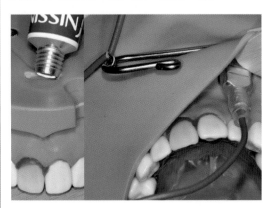

덴티폼 하방의 전도판을 풀고, 인공치 치근단 부분에 전도성 젤을 충분히 바르고 전도체를 재결합한다. 이때 전도성 젤은 전도판과 충분히 접촉해야 한다.

2

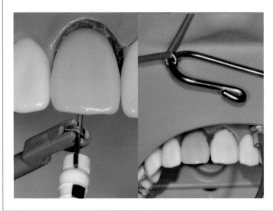

전자근관장 측정기의 lip holder를 덴티폼과 연결된 전선과 연결한다. 잠정근관장 길이 정도로 파일을 삽입하고 파일클립이나 probe를 파일에 연결한다.

이때 coronal flaring이 충실하였다면 다근치에서 파일들이 서로 교차되지 않게 평행하게 삽입될 것이다.

3

Over Sign
with beep sound

근첨공 도달

전자근관장 측정기 표시창에 apex를 지나갔다는 표시가 나타날 때까지 파일을 삽입하였다가 apex까지의 길이가 '0'이라는 수치가 표시되게 파일을 조절하여 위치시킨다. 이때 파일은 잡고 있지 않아도 근첨 부위에 binding되어 움직임이 없어야 한다.

4 방사선 사진을 이용한 근관장 확인

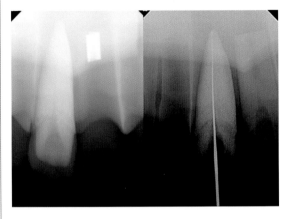

구내용 방사선 센서를 센서홀더로 고정하여 촬영 부위로 삽입하여 촬영한다.

방사선 사진에서 근첨과 파일의 끝단의 차이를 비교한다. 과도한 차이를 보이지 않는다면 전자근관장 측정기에서 측정한 길이가 정확하다.

이때 측정된 길이에서 0.5 mm를 뺀 길이를 최종 근관장으로 정한다.

5 치근단 받침 형성

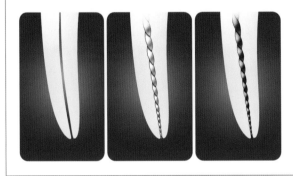

측정된 근관장의 길이에 맞게 파일의 러버스탑을 위치시키고, IAF보다 세 단계 이상, 최소 #25번 이상의 파일을 MAF로 설정하고 근관장 길이까지 삽입하여 근첨부를 확대하여 치근단 받침을 형성한다.

6 Step-Back

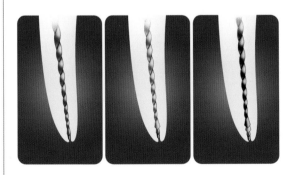

MAF보다 한 단계 굵은 파일에 근관장보다 1 mm 짧은 지점까지 확대를 한다. 최소 세 단계 이상의 반복을 하여 근단부 근관의 flaring을 한다.

7 근관세척

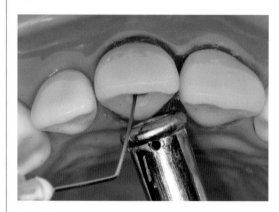

근관 입구를 찾는 과정에서부터 Step-back 과정까지 각각의 파일 사용 후 근관세척을 한다. 근관세척은 수시로 이루어져야 한다.

8 Patency 유지

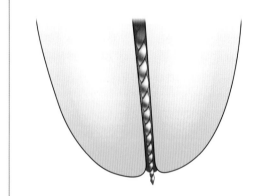

근관형성을 하는 과정 중에 생긴 dentin chip들에 의해 근단공이 폐쇄되는 것을 방지하기 위해 근관형성 하는 도중에 수시로 patency를 확인해야 한다. 작은 크기의 파일(#10 or #15)에 근관장보다 1 mm 길게 러버스탑을 위치시키고 근단공을 넘어가도록 조작한다.

Biomechanical data

Tooth#	Canal	Provisional length	Ref. point	Working length	IAF	MAF	Filling Mat.	Sealant	Filling Tec.

상악 전치의 근관형성 평가지			
학번	이름	날짜	20 년 월 일

평가내용/점수	잘함	보통	미흡
Patency가 유지되는가			
MAF의 크기가 적절한가			
근관장이 근단공에서 0.5-1.0 mm 이내로 결정되고 근관장까지 근관형성이 이루어졌는가			
MAF가 큰 저항없이 근관장까지 삽입되며, 근관장까지 삽입된 후에는 근단쪽으로 미는 힘에 대해 저항감이 있는가			
형성된 근관이 근단공으로부터 근관 입구쪽으로 점점 커지는 평활한 깔때기(funnel) 형태인가			
Ledge 등 transportation이 없는가			
근관이 직선화되지 않고 만곡이 잘 유지되는가			
천공이 만들어지지 않았는가			
근관내에 잔사가 없는가			
전반적인 근관형성의 완성도			

기타 평가사항

평 가 자	(서명)	술 자 확 인	(서명)

3) 상악 전치의 근관충전

1 Apical clearing

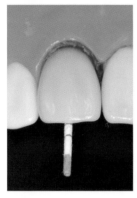

근관세척용 니들의 aspiration을 통해 근관내의 세척액을 제거하고, paper point로 근관을 건조시킨다. 근관충전 직전, 건조된 근관에 MAF를 근관장까지 삽입하고, 시계 방향으로 180도 회전시켜 잔존 debri를 제거한다. 이때 제거된 debri의 색이 흰색이 아니고 어두운 색이면, 근관확대를 좀 더 시행한다.

2 Master cone fitting 및 방사선 사진 확인

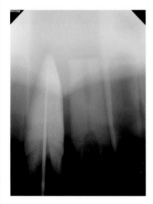

근관장 길이를 마스터 콘에 핀셋을 이용한 indentation으로 표시를 하고, 근관에 삽입하여 근관장 길이만큼 잘 들어가는지 확인하고, 방사선 사진 촬영을 통해 확인한다.

3 측방가압충전을 위한 재료

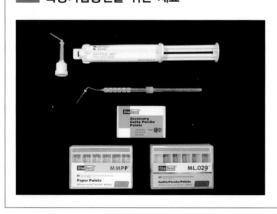

- 근관실러
- NiTi D11T Handled Spreader
- .02 taper Paper Point
- .02 taper Gutta-percha cone
- Accessory GP cone

3-1 Sealer Mix

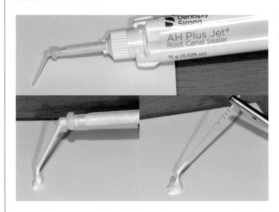

근관충전용 실러를 제조사의 지시대로 Smart-Mix tip을 이용하여 균질하게 혼합한다.

4 측방가압충전

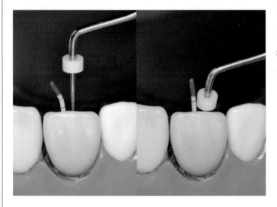

마스터 콘에 적당량의 실러를 묻혀 근관에 삽입하고, 근관장 길이보다 1 mm 짧은 지점에 러버스탑을 위치한 NiTi handled spreader를 이용하여 측방가압을 한다. spreader로 가압한 지점에 액세서리 콘을 삽입한다.

5

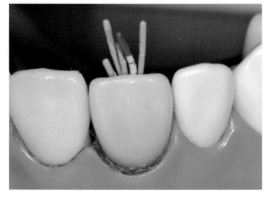

Spreader를 통한 측방가압과 액세서리 콘의 반복적인 삽입을 통해 근관을 충전하며, 사용 직후의 spreader 끝단은 항시 알코올 솜으로 닦으며 실러가 묻어 나오는 것을 확인한다. 만일 실러가 묻어 나오지 않으면 그 다음에 삽입하는 액세서리 콘에 추가적으로 실러를 묻혀 삽입한다.

6

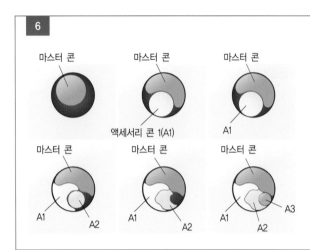

마스터 콘   마스터 콘   마스터 콘

액세서리 콘 1(A1)   A1

마스터 콘   마스터 콘   마스터 콘

A1   A2   A1   A2   A1   A2   A3

측방가압을 통한 근관충전은 액세서리 콘이 근관내에 더 이상 들어가지 않을 때까지 반복한다.

---

7 과잉의 Gutta-percha 제거

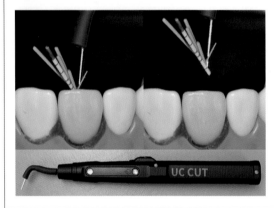

발열기능이 있는 기구를 사용하여 근관 입구에서 과잉의 cone 을 제거하고, plugger를 이용하여 수직으로 가압한다.
Glick #1의 끝을 가열하여 사용할 수도 있다. 이때 치조정 부근 에서 제거해야 향후 치관 변색을 예방할 수 있다.
발열기능이 있는 기구나 Glick #1의 끝을 가열하여 근관 입구 에서 여분의 거타퍼챠 콘을 제거하고, plugger를 이용하여 수 직으로 가압한다.
이때 거타퍼챠 콘을 치조정 부근 높이까지 제거하면 향후 치관 변색을 예방할 수 있다.

---

8 방사선 사진 촬영

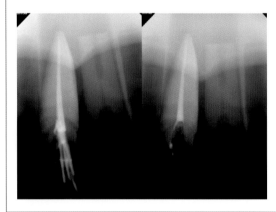

근관충전 완료 후 방사선 사진을 촬영하여 근관충전의 상태를 확인한다. 이때 overfilling된 양상이나 underfilling 양상이 보이 면 실러가 굳기 전에 충전된 거타퍼챠를 제거하고 치근단받침 형성 과정부터 다시 시행한다.

8-1 레진코어 축조를 위한 재료

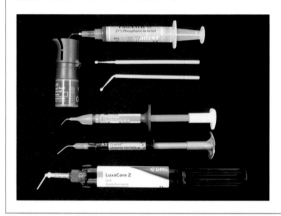

- 37% 인산
- 상아질 접착제 및 microbrush
- Flowable resin
- Dual-cure resin

8-2 레진코어 축조 1

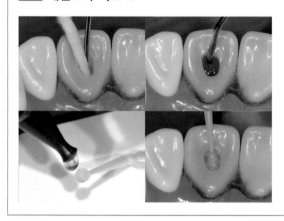

- 알코올 솜 등을 이용하여 와동을 세척하고, 37% 인산을 이용하여 etching을 한다.
- 상아질 접착제를 와동 내에 균일하게 도포하고 광중합한다.

8-3 레진코어 축조 2

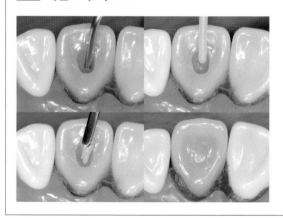

- 근관 입구 부분을 flowable 레진으로 lining한다.
- 코어용 레진을 이용하여 와동을 충전한다.
- 전치부는 전장관 수복이 필요 없는 경우, 표면강도가 높은 콤포짓 레진으로 최종 수복한다.

(술자가 기록합니다)

상악 전치의 근관충전 평가지

학번		이름		날짜	20　년　월　일

(평가자가 기록합니다)

평가내용/점수	잘함	보통	미흡
마스터 콘 선택과정에서 마스터 콘이 근관장만큼 또는 근관장에서 1 mm 이내로 들어가면서 tugback이 느껴지는가			
근관충전 후 촬영한 방사선 사진상 마스터 콘이 근관장만큼 또는 근관장에서 1 mm 이내로 위치되는가			
근관충전 후 촬영한 방사선 사진상 근관은 빈 공간 없이 3차원적으로 잘 충전되었는가			
근관 입구 부위에서 거타퍼챠 콘은 깨끗이 제거되어 있는가			
치수강에 실러 등이 남아 있지 않고 깨끗한가			
전반적인 근관충전의 완성도			

기타 평가사항

(평가자가 자유롭게 기술)

평 가 자		(서명)	술 자 확 인		(서명)

2. 상악 소구치의 근관치료

1) 상악 소구치의 근관와동형성

 1

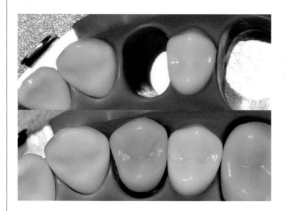

덴티폼에 상악소구치를 고정한다.

전자근관장 측정기의 원활한 사용을 위하여 전도체가 위치할 공간(근단부 5 mm)은 남겨두고, 유틸리티 왁스를 이용하여 고정한다.

2 **근관와동의 외형**

외형은 협구개측으로 긴 타원형의 형태로 설정한다.

3 치수강 노출

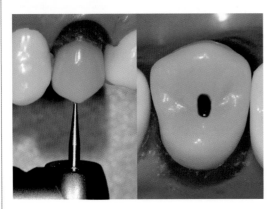

협측과 구개측 교두 사이의 교합면 중앙에 #330 또는 #2 bur를 사용하여 법랑질을 통과해서 상아질 내로 initial opening을 형성한다.
Roof를 치수강의 벽을 따라 교합면 측으로 삭제하면서 외형을 협구개측으로 긴 타원형의 형태가 되도록 형성한다.

4 Overhang 제거 및 coronal flaring

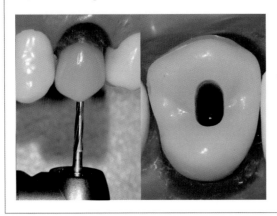

Endo Z bur를 이용하여 overhang된 치질을 제거하며, 와동 벽을 평활하게 하고 flare를 준다.
백악법랑 경계부에서 근심측으로 오목하게 파인 형태가 있어 측방 천공을 일으킬 수 있으므로 주의해야 한다.

5 근관 입구 확인

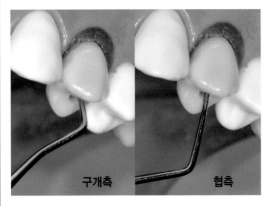

구개측   협측

Spoon excavator 등으로 치수강 내용물을 제거하고 세척, 건조시킨 후 endodontic explorer를 사용하여 근관 입구를 확인한다.

(술자가 기록합니다)

상악 소구치의 근관와동형성 평가지

학번		이름		날짜	20 년 월 일

(평가자가 기록합니다)

평가내용/점수	잘함	보통	미흡
근관와동의 크기와 형태, 각도가 적절한가			
모든 근관이 발견되었는가			
치수강 천정(roof)이 완전히 제거되었는가			
근관와동이 변연융선을 침범하여 치질을 약화시키지 않았는가			
치수강저가 손상되지 않았는가			
상부가 넓고 하부가 좁은 평활한 와동벽이 형성되었는가			
근관 입구까지 직접적 접근(direct access)이 만들어졌는가			
Gouging이 만들어지지 않았는가			
천공이 만들어지지 않았는가			
전반적인 근관와동형성의 완성도			

기타 평가사항

(평가자가 자유롭게 기술)

평 가 자	(서명)	술 자 확 인	(서명)

2) 상악 소구치의 근관형성

1 **전자근관장 측정기를 이용한 측정**

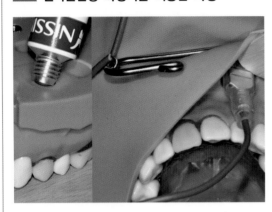

덴티폼 하방의 전도판을 풀고, 인공치 치근단 부분에 전도성 젤을 충분히 바르고 전도체를 재결합한다. 이때 전도성 젤은 전도판과 충분히 접촉해야 한다.

2

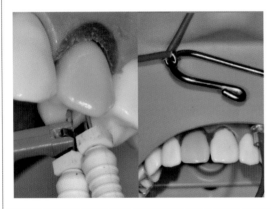

전자근관장 측정기의 lip holder을 덴티폼과 연결된 전선과 연결한다. 잠정근관장 길이 정도로 파일을 삽입하고 파일클립이나 probe를 파일에 연결한다.
이때 coronal flaring이 충실하였다면 다근치에서 파일들이 서로 교차되지 않게 평행하게 삽입될 것이다.

3

Over Sign
with beep sound

근첨공 도달

전자근관장 측정기 표시창에 apex를 지나갔다는 표시가 나타날 때까지 파일을 삽입하였다가 apex까지의 길이가 '0'이라는 수치가 표시되게 파일을 조절하여 위치시킨다. 이때 파일은 잡고 있지 않아도 근첨 부위에 binding되어 움직임이 없어야 한다.

4 근관장 확인 및 근관형성

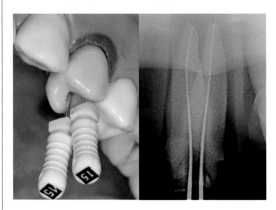

구내용 방사선센서를 센서홀더로 고정하여 촬영 부위로 삽입하여 촬영한다. 이때 측정된 길이에서 0.5 mm를 뺀 길이를 최종 근관장으로 정한다. 3장을 참고하여 근관확대 및 성형을 한다.

Biomechanical data

Tooth#	Canal	Provisional length	Ref. point	Working length	IAF	MAF	Filling Mat.	Sealant	Filling Tec.

상악 소구치의 근관형성 평가지

학번		이름		날짜	20 년 월 일

(평가자가 기록합니다)

평가내용/점수	잘함	보통	미흡
Patency가 유지되는가			
MAF의 크기가 적절한가			
근관장이 근단공에서 0.5-1.0 mm 이내로 결정되고 근관장까지 근관형성이 이루어졌는가			
MAF가 큰 저항없이 근관장까지 삽입되며, 근관장까지 삽입된 후에는 근단쪽으로 미는 힘에 대해 저항감이 있는가			
형성된 근관이 근단공으로부터 근관 입구쪽으로 점점 커지는 평활한 깔때기(funnel) 형태인가			
Ledge 등 transportation이 없는가			
근관이 직선화되지 않고 만곡이 잘 유지되는가			
천공이 만들어지지 않았는가			
근관내에 잔사가 없는가			
전반적인 근관형성의 완성도			

기타 평가사항

(평가자가 자유롭게 기술)

평 가 자	(서명)	술 자 확 인	(서명)

3) 상악 소구치의 근관충전

---

1 **Apical Clearing**

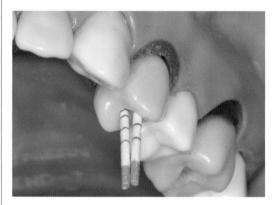

근관세척용 니들의 aspiration을 통해 근관내의 세척액을 제거하고, paper point로 근관을 건조시킨다.
Apical clearing의 과정을 시행한다.

---

2 **Master Cone fitting 및 방사선 사진 확인**

근관장 길이를 마스터 콘에 핀셋을 이용한 indentation으로 표시를 하고, 근관에 삽입하여 근관장 길이만큼 잘 들어가는지 확인하고, 방사선 사진 촬영을 통해 확인한다.

2-1 **Continuous wave 충전법을 위한 재료**

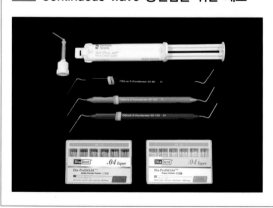

- 근관실러
- S-Kondensor
- .04 taper Paper Point
- .04 taper Gutta-percha cone

3 근관충전

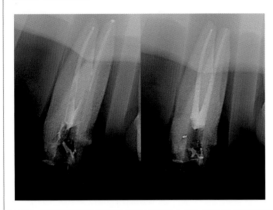

마스터 콘에 실러를 적당량을 묻히고, 근관에 삽입한다. 4장을 참조하여 근관충전을 시행한다.

3-1 레진코어 축조를 위한 재료

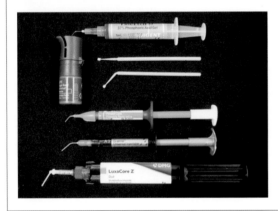

- 37% 인산
- 상아질 접착제 및 microbrush
- Flowable resin
- Dual-cure resin

3-2 레진코어 축조 1

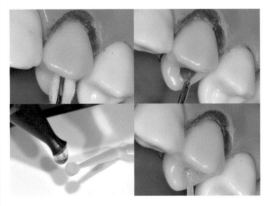

알코올 솜 등을 이용하여 와동을 세척하고, 37% 인산을 이용하여 etching을 한다.
상아질 접착제를 와동 내에 균일하게 도포하고 광중합한다.

3-3 레진코어 축조 2

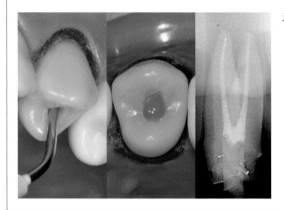

코어용 레진을 이용하여 와동을 충전한다.

Biomechanical data

Tooth#	Canal	Provisional length	Ref. point	Working length	IAF	MAF	Filling Mat.	Sealant	Filling Tec.

(술자가 기록합니다)

상악 소구치의 근관충전 평가지

학번		이름		날짜	20 년 월 일

(평가자가 기록합니다)

평가내용/점수	잘함	보통	미흡
마스터 콘 선택과정에서 마스터 콘이 근관장만큼 또는 근관장에서 1 mm 이내로 들어가면서 tugback이 느껴지는가			
근관충전 후 촬영한 방사선 사진상 마스터 콘이 근관장만큼 또는 근관장에서 1 mm 이내로 위치되는가			
근관충전 후 촬영한 방사선 사진상 근관은 빈 공간 없이 3차원적으로 잘 충전되었는가			
근관 입구 부위에서 거타퍼챠 콘은 깨끗이 제거되어 있는가			
치수강에 실러 등이 남아 있지 않고 깨끗한가			
전반적인 근관충전의 완성도			

기타 평가사항

(평가자가 자유롭게 기술)

평 가 자		(서명)	술 자 확 인		(서명)

3. 상악 대구치의 근관치료

1) 상악 대구치의 근관와동형성

1

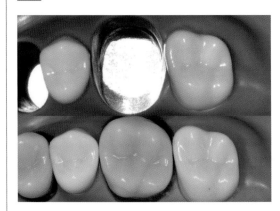

덴티폼에 상악대구치를 고정한다.

전자근관장 측정기의 원활한 사용을 위하여 전도체가 위치할 공간(근단부 5 mm)은 남겨두고, 유틸리티 왁스를 이용하여 고정한다.

2 **근관와동의 외형**

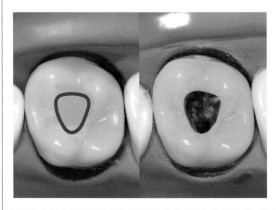

외형은 삼각형을 나타내며 기저면은 협측을 향하고 끝은 구개측을 향하며 치아의 근심측 절반 내에 위치한다.
횡주융선은 대부분 완전히 남겨져 있다.

3 치수강 노출

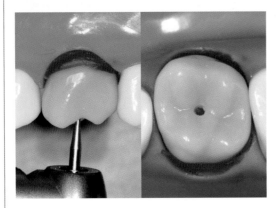

중심와에 #330 또는 #557 bur를 사용하여 구개측으로 버가 향하도록 하여 법랑질을 통과해서 상아질 내로 initial opening 을 형성한다.

Roof는 치수강의 벽을 따라 교합면측으로 약간 divergent하게 형성한다.

4 Overhang 제거 및 coronal flaring

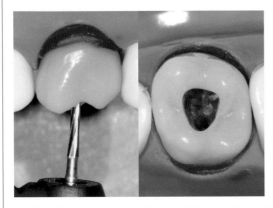

Endo Z bur를 이용하여 overhang된 치질을 제거하며, 와동벽 을 평활하게 하고 flare를 준다.

5 근관 입구 확인

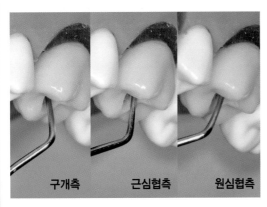

구개측   근심협측   원심협측

Spoon excavator 등으로 치수강 내용물을 제거하고 세척, 건 조시킨 후 Endodontic explorer를 사용하여 근관 입구를 확인 한다.

상악 대구치의 근관와동형성 평가지

학번		이름		날짜	20 년 월 일

평가내용/점수	잘함	보통	미흡
근관와동의 크기와 형태, 각도가 적절한가			
모든 근관이 발견되었는가			
치수강 천정(roof)이 완전히 제거되었는가			
근관와동이 변연융선을 침범하여 치질을 약화시키지 않았는가			
근관와동이 사주융선을 침범하여 치질을 약화시키지 않았는가			
치수강저가 손상되지 않았는가			
상부가 넓고 하부가 좁은 평활한 와동벽이 형성되었는가			
근관 입구까지 직접적 접근(direct access)이 만들어졌는가			
Gouging이 만들어지지 않았는가			
천공이 만들어지지 않았는가			
전반적인 근관와동형성의 완성도			

기타 평가사항

평 가 자	(서명)	술 자 확 인	(서명)

2) 상악 대구치의 근관형성

1 전자근관장 측정기를 이용한 측정

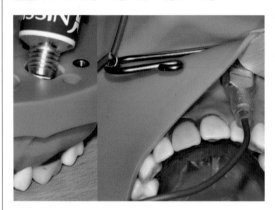

덴티폼 하방의 전도판을 풀고, 인공치 치근단 부분에 전도성 젤을 충분히 바르고 전도체를 재결합한다. 이때 전도성 젤은 전도판과 충분히 접촉해야 한다.

2

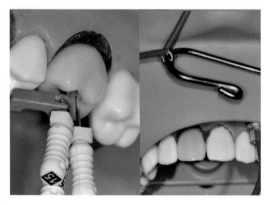

전자근관장 측정기의 lip holder을 덴티폼과 연결된 전선과 연결한다. 잠정근관장 길이 정도로 파일을 삽입하고 파일클립이나 probe를 파일에 연결한다.
이때 coronal flaring이 충실하였다면 다근치에서 파일들이 서로 교차되지 않게 평행하게 삽입될 것이다.

3

Over Sign
with beep sound

근첨공 도달

전자근관장 측정기 표시창에 apex를 지나갔다는 표시가 나타날 때까지 파일을 삽입하였다가 apex까지의 길이가 '0'이라는 수치가 표시되게 파일을 조절하여 위치시킨다. 이때 파일은 잡고 있지 않아도 근첨 부위에 binding되어 움직임이 없어야 한다.

4 근관장 확인 및 근관형성

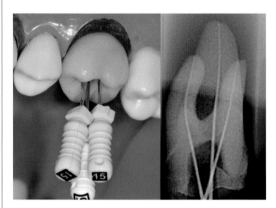

구내용 방사선센서를 센서홀더로 고정하여 촬영 부위로 삽입하여 촬영한다. 이때 측정된 길이에서 0.5 mm를 뺀 길이를 최종 근관장으로 정한다. 3장을 참고하여 근관확대 및 성형을 한다.

Biomechanical data

Tooth#	Canal	Provisional length	Ref. point	Working length	IAF	MAF	Filling Mat.	Sealant	Filling Tec.

상악 대구치의 근관형성 평가지			
학번	이름	날짜	20 년 월 일

(평가자가 기록합니다)

평가내용/점수	잘함	보통	미흡
Patency가 유지되는가			
MAF의 크기가 적절한가			
근관장이 근단공에서 0.5-1.0 mm 이내로 결정되고 근관장까지 근관형성이 이루어졌는가			
MAF가 큰 저항없이 근관장까지 삽입되며, 근관장까지 삽입된 후에는 근단쪽으로 미는 힘에 대해 저항감이 있는가			
형성된 근관이 근단공으로부터 근관 입구쪽으로 점점 커지는 평활한 깔때기(funnel) 형태인가			
Ledge 등 transportation이 없는가			
근관이 직선화되지 않고 만곡이 잘 유지되는가			
천공이 만들어지지 않았는가			
근관내에 잔사가 없는가			
전반적인 근관형성의 완성도			

기타 평가사항

(평가자가 자유롭게 기술)

평 가 자	(서명)	술 자 확 인	(서명)

3) 상악 대구치의 근관충전

1 Apical clearing

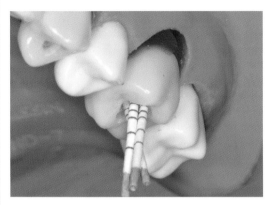

근관세척용 니들의 aspiration을 통해 근관내의 세척액을 제거하고, paper point로 근관을 건조시킨다.
Apical clearing의 과정을 시행한다.

2 Master done fitting 및 방사선 사진 확인

근관장 길이를 마스터 콘에 핀셋을 이용한 indentation으로 표시를 하고, 근관에 삽입하여 근관장 길이만큼 잘 들어가는지 확인하고, 방사선 사진 촬영을 통해 확인한다.

2-1 Continuous wave 충전법을 위한 재료

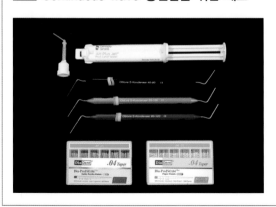

- 근관실러
- S-Kondensor
- .04 taper Paper Point
- .04 taper Gutta-percha cone

3 근관충전

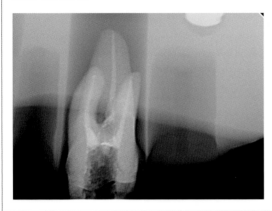

마스터 콘에 실러를 적당량을 묻히고, 근관에 삽입한다.
4장을 참조하여 근관충전을 시행한다.

3-1 레진코어 축조를 위한 재료

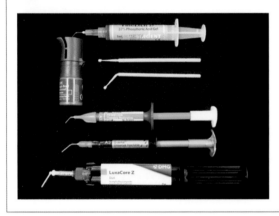

- 37% 인산
- 상아질 접착제 및 microbrush
- Flowable resin
- Dual-cure resin

3-2 레진코어 축조 1

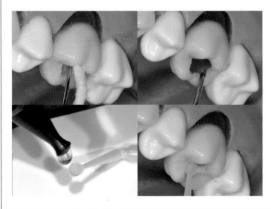

알코올 솜 등을 이용하여 와동을 세척하고, 37% 인산을 이용
하여 etching을 한다.
상아질 접착제를 와동 내에 균일하게 도포하고 광중합한다.

3-3 레진코어 축조 2

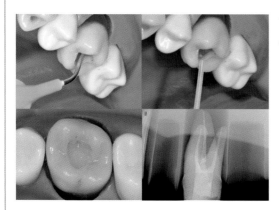

근관 입구 부분을 flowable 레진으로 lining 한다.
코어용 레진을 이용하여 와동을 충전한다.

Biomechanical data

Tooth#	Canal	Provisional length	Ref. point	Working length	IAF	MAF	Filling Mat.	Sealant	Filling Tec.

상악 대구치의 근관충전 평가지

학번		이름		날짜	20 년 월 일

평가내용/점수	잘함	보통	미흡
마스터 콘 선택과정에서 마스터 콘이 근관장만큼 또는 근관장에서 1 mm 이내로 들어가면서 tugback이 느껴지는가			
근관충전 후 촬영한 방사선 사진상 마스터 콘이 근관장만큼 또는 근관장에서 1 mm 이내로 위치되는가			
근관충전 후 촬영한 방사선 사진상 근관은 빈 공간 없이 3차원적으로 잘 충전되었는가			
근관 입구 부위에서 거타퍼챠 콘은 깨끗이 제거되어 있는가			
치수강에 실러 등이 남아 있지 않고 깨끗한가			
전반적인 근관충전의 완성도			

기타 평가사항

평 가 자	(서명)	술 자 확 인	(서명)

4. 하악 소구치의 근관치료

1) 하악 소구치의 근관와동형성

1

덴티폼에 하악 소구치를 고정한다.

전자근관장 측정기의 원활한 사용을 위하여 전도체가 위치할 공간(근단부 5 mm)은 남겨두고, 유틸리티 왁스를 이용하여 고정한다.

2 근관와동의 외형

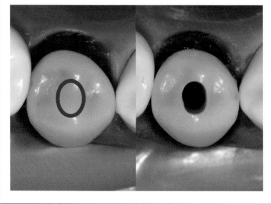

외형은 협설측으로 타원형이고 중앙구에서 협측으로 위치되어지며 협측 교두정으로 짧게 확장된다.

3 치수강 노출

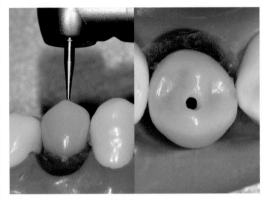

치관이 치근 장축에 대해 30도의 설측 경사를 갖기 때문에 협측 교두의 설측 사면에 치근의 장축 방향으로 #330 또는 #2 bur를 사용하여 법랑질을 통과해서 상아질 내로 initial opening을 형성한다.
Roof는 치수강의 벽을 따라 교합면측으로 약간 divergent하게 형성한다.

4 Overhang 제거 및 coronal flaring

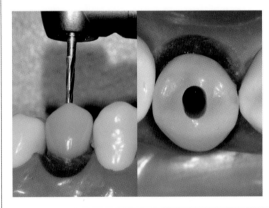

Endo Z bur를 이용하여 overhang된 치질을 제거하며, 와동벽을 평활하게 하고 flare를 준다.

5 근관 입구 확인

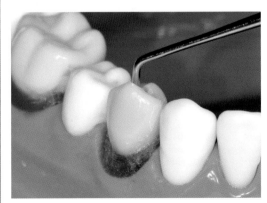

Spoon excavator 등으로 치수강 내용물을 제거하고 세척, 건조시킨 후 endodontic explorer를 사용하여 근관 입구를 확인한다.

(술자가 기록합니다)

하악 소구치의 근관와동형성 평가지

학번		이름		날짜	20 년 월 일

(평가자가 기록합니다)

평가내용/점수	잘함	보통	미흡
근관와동의 크기와 형태, 각도가 적절한가			
근관와동이 변연융선을 침범하여 치질을 약화시키지 않았는가			
모든 근관이 발견되었는가			
치수각(pulp horn)이 적절히 제거되었는가			
상부가 넓고 하부가 좁은 평활한 와동벽이 형성되었는가			
근관 입구까지 직접적 접근(direct access)이 만들어졌는가			
Gouging이 만들어지지 않았는가			
천공이 만들어지지 않았는가			
전반적인 근관와동형성의 완성도			

기타 평가사항

(평가자가 자유롭게 기술)

평 가 자		(서명)	술 자 확 인		(서명)

2) 하악 소구치의 근관형성

---

1 전자근관장 측정기를 이용한 측정

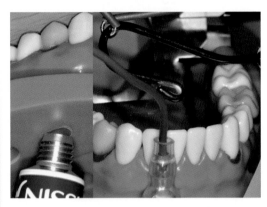

덴티폼 하방의 전도판을 풀고, 인공치 치근단 부분에 전도성 젤을 충분히 바르고 전도체를 재결합한다. 이때 전도성 젤은 전도판과 충분히 접촉해야 한다.

2

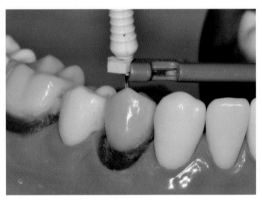

전자근관장 측정기의 lip holder을 덴티폼과 연결된 전선과 연결한다. 잠정근관장 길이 정도로 파일을 삽입하고 파일클립이나 probe를 파일에 연결한다.

3

Over Sign
with beep sound

근첨공 도달

전자근관장 측정기 표시창에 apex를 지나갔다는 표시가 나타날 때까지 파일을 삽입하였다가 apex까지의 길이가 '0'이라는 수치가 표시되게 파일을 조절하여 위치시킨다. 이때 파일은 잡고 있지 않아도 근첨 부위에 binding되어 움직임이 없어야 한다.

근관장 확인 및 근관형성

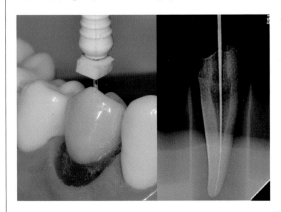

구내용 방사선센서를 센서홀더로 고정하여 촬영 부위로 삽입하여 촬영한다. 이때 측정된 길이에서 0.5 mm를 뺀 길이를 최종 근관장으로 정한다. 3장을 참고하여 근관확대 및 성형을 한다.

Biomechanical data

Tooth#	Canal	Provisional length	Ref. point	Working length	IAF	MAF	Filling Mat.	Sealant	Filling Tec.

하악 소구치의 근관형성 평가지

학번		이름		날짜	20 년 월 일

평가내용/점수	잘함	보통	미흡
Patency가 유지되는가			
MAF의 크기가 적절한가			
근관장이 근단공에서 0.5–1.0 mm 이내로 결정되고 근관장까지 근관형성이 이루어졌는가			
MAF가 큰 저항없이 근관장까지 삽입되며, 근관장까지 삽입된 후에는 근단쪽으로 미는 힘에 대해 저항감이 있는가			
형성된 근관이 근단공으로부터 근관 입구쪽으로 점점 커지는 평활한 깔때기(funnel) 형태인가			
Ledge 등 transportation이 없는가			
근관이 직선화되지 않고 만곡이 잘 유지되는가			
천공이 만들어지지 않았는가			
근관내에 잔사가 없는가			
전반적인 근관형성의 완성도			

기타 평가사항

평 가 자	(서명)	술 자 확 인	(서명)

3) 하악 소구치의 근관충전

1 Apical clearing

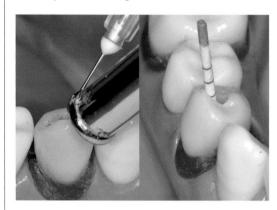

근관세척용 니들의 aspiration을 통해 근관내의 세척액을 제거하고, paper point로 근관을 건조시킨다.
Apical clearing의 과정을 시행한다.

2 Master cone fitting 및 방사선 사진 확인

근관장 길이를 마스터 콘에 핀셋을 이용한 indentation으로 표시를 하고, 근관에 삽입하여 근관장 길이만큼 잘 들어가는지 확인하고, 방사선 사진 촬영을 통해 확인한다.

2-1 Continuous wave 충전법을 위한 재료

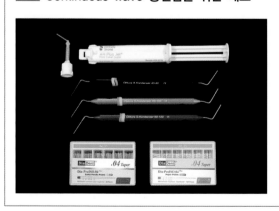

- 근관실러
- S-Kondensor
- .04 taper Paper Point
- .04 taper Gutta-percha cone

3 근관충전

마스터 콘에 실러를 적당량을 묻히고, 근관에 삽입한다.
4장을 참조하여 근관충전을 시행한다.

3-1 레진코어 축조를 위한 재료

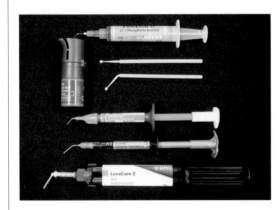

- 37% 인산
- 상아질 접착제 및 microbrush
- Flowable resin
- Dual-cure resin

3-2 레진코어 축조 1

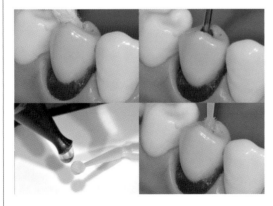

알코올 솜 등을 이용하여 와동을 세척하고, 37% 인산을 이용하여 etching을 한다.
상아질 접착제를 와동 내에 균일하게 도포하고 광중합한다.

3-3 레진코어 축조 2

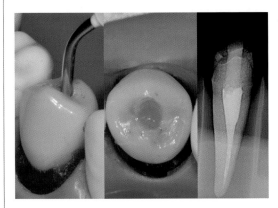

코어용 레진을 이용하여 와동을 충전한다.

Biomechanical data

Tooth#	Canal	Provisional length	Ref. point	Working length	IAF	MAF	Filling Mat.	Sealant	Filling Tec.

하악 소구치의 근관충전 평가지

학번		이름		날짜	20 년 월 일

평가내용/점수	잘함	보통	미흡
마스터 콘 선택과정에서 마스터 콘이 근관장만큼 또는 근관장에서 1 mm 이내로 들어가면서 tugback이 느껴지는가			
근관충전 후 촬영한 방사선 사진 상 마스터 콘이 근관장만큼 또는 근관장에서 1 mm 이내로 위치되는가			
근관충전 후 촬영한 방사선 사진상 근관은 빈 공간 없이 3차원적으로 잘 충전되었는가			
근관 입구 부위에서 거타퍼챠 콘은 깨끗이 제거되어 있는가			
치수강에 실러 등이 남아 있지 않고 깨끗한가			
전반적인 근관충전의 완성도			

기타 평가사항

평 가 자	(서명)	술 자 확 인	(서명)

5. 하악 대구치의 근관치료

1) 하악 대구치의 근관와동형성

1

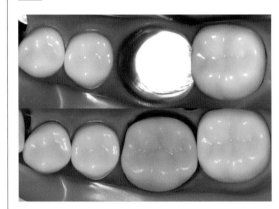

덴티폼에 하악대구치를 고정한다.

전자근관장 측정기의 원활한 사용을 위하여 전도체가 위치할 공간(근단부 5 mm)은 남겨두고, 유틸리티 왁스를 이용하여 고정한다.

2 **근관와동의 외형**

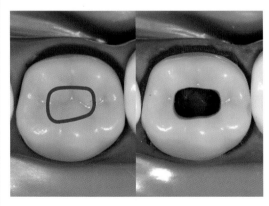

외형은 사각형 또는 사다리꼴 나타내며 넓은면은 근심측을 향하고 좁은면은 원심측을 향하며 치아의 근심협측에 위치한다.

3 치수강 노출

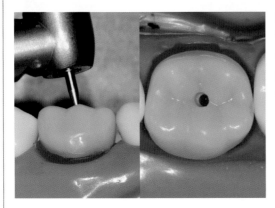

중심와에 #330 또는 #557 bur를 사용하여 원심측으로 버가 향하도록 하여 법랑질을 통과해서 상아질 내로 initial opening 을 형성한다.
Roof는 치수강의 벽을 따라 교합면측으로 약간 divergent하게 형성한다.

4 Overhang 제거 및 coronal flaring

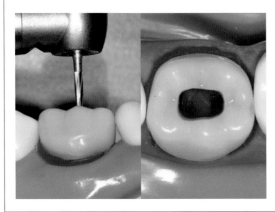

Endo Z bur를 이용하여 overhang된 치질을 제거하며, 와동벽 을 평활하게 하고 flare를 준다.

5 근관 입구 확인

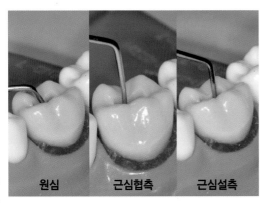

원심   근심협측   근심설측

Spoon excavator 등으로 치수강 내용물을 제거하고 세척, 건 조시킨 후 Endodontic explorer를 사용하여 근관 입구를 확인 한다.

(술자가 기록합니다)

하악 대구치의 근관와동형성 평가지			
학번		이름	날짜	20 년 월 일

(평가자가 기록합니다)

평가내용/점수	잘함	보통	미흡
근관와동의 크기와 형태, 각도가 적절한가			
모든 근관이 발견되었는가			
치수강 천정(roof)이 완전히 제거되었는가			
근관와동이 변연융선을 침범하여 치질을 약화시키지 않았는가			
치수강저가 손상되지 않았는가			
상부가 넓고 하부가 좁은 평활한 와동벽이 형성되었는가			
근관 입구까지 직접적 접근(direct access)이 만들어졌는가			
Gouging이 만들어지지 않았는가			
천공이 만들어지지 않았는가			
전반적인 근관와동형성의 완성도			

기타 평가사항

(평가자가 자유롭게 기술)

평 가 자		(서명)	술 자 확 인		(서명)

2) 하악 대구치의 근관형성

1 전자근관장 측정기를 이용한 측정

덴티폼 하방의 전도판을 풀고, 인공치 치근단 부분에 전도성 젤을 충분히 바르고 전도체를 재결합한다. 이때 전도성 젤은 전도판과 충분히 접촉해야 한다.

2

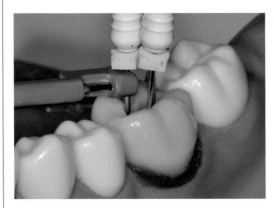

전자근관장 측정기의 lip holder을 덴티폼과 연결된 전선과 연결한다. 잠정근관장 길이 정도로 파일을 삽입하고 파일클립이나 probe를 파일에 연결한다.

3

Over Sign
with beep sound

근첨공 도달

전자근관장 측정기 표시창에 apex를 지나갔다는 표시가 나타날 때까지 파일을 삽입하였다가 apex까지의 길이가 '0'이라는 수치가 표시되게 파일을 조절하여 위치시킨다. 이때 파일은 잡고 있지 않아도 근첨 부위에 binding되어 움직임이 없어야 한다.

4 근관장 확인 및 근관형성

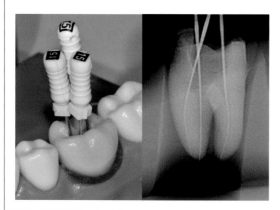

구내용 방사선센서를 센서홀더로 고정하여 촬영 부위로 삽입하여 촬영한다. 이때 측정된 길이에서 0.5 mm를 뺀 길이를 최종 근관장으로 정한다. 3장을 참고하여 근관확대 및 성형을 한다.

Biomechanical data

Tooth#	Canal	Provisional length	Ref. point	Working length	IAF	MAF	Filling Mat.	Sealant	Filling Tec.

(술자가 기록합니다)

하악 대구치의 근관형성 평가지				
학번		이름		날짜	20 년 월 일

(평가자가 기록합니다)

평가내용/점수	잘함	보통	미흡
Patency가 유지되는가			
MAF의 크기가 적절한가			
근관장이 근단공에서 0.5-1.0 mm 이내로 결정되고 근관장까지 근관형성이 이루어졌는가			
MAF가 큰 저항없이 근관장까지 삽입되며, 근관장까지 삽입된 후에는 근단쪽으로 미는 힘에 대해 저항감이 있는가			
형성된 근관이 근단공으로부터 근관 입구쪽으로 점점 커지는 평활한 깔때기(funnel) 형태인가			
Ledge 등 transportation이 없는가			
근관이 직선화되지 않고 만곡이 잘 유지되는가			
천공이 만들어지지 않았는가			
근관내에 잔사가 없는가			
전반적인 근관형성의 완성도			

기타 평가사항

(평가자가 자유롭게 기술)

평 가 자		(서명)	술 자 확 인		(서명)

3) 하악 대구치의 근관충전

1 Apical clearing

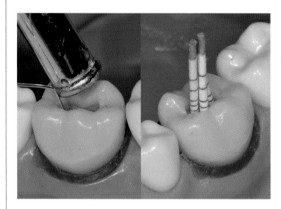

근관세척용 니들의 aspiration을 통해 근관내의 세척액을 제거하고, paper point로 근관을 건조시킨다.
Apical clearing의 과정을 시행한다.

2 Master cone fitting 및 방사선 사진 확인

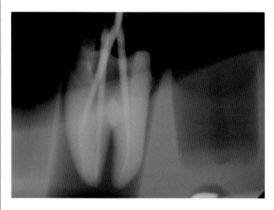

근관장 길이를 마스터 콘에 핀셋을 이용한 indentation으로 표시를 하고, 근관에 삽입하여 근관장 길이만큼 잘 들어가는지 확인하고, 방사선 사진 촬영을 통해 확인한다.

2-1 Continuous wave 충전법을 위한 재료

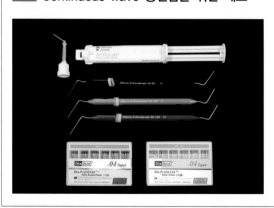

- 근관실러
- S-Kondensor
- .04 taper Paper Point
- .04 taper Gutta-percha cone

3 근관충전

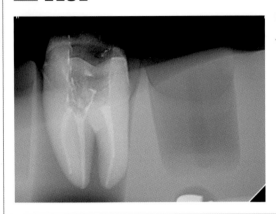

마스터 콘에 실러를 적당량을 묻히고, 근관에 삽입한다.
4장을 참조하여 근관충전을 시행한다.

3-1 레진코어 축조를 위한 재료

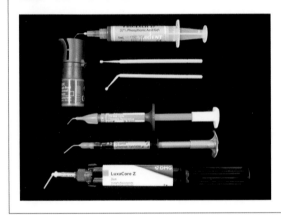

- 37% 인산
- 상아질 접착제 및 microbrush
- Flowable resin
- Dual-cure resin

3-2 레진코어 축조 1

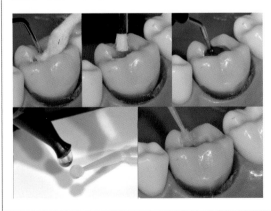

알코올 솜 등을 이용하여 와동을 세척하고, 37% 인산을 이용하여 etching을 한다.
와동내 청소를 위해 ICB 사용도 가능하다.
상아질 접착제를 와동 내에 균일하게 도포하고 광중합한다.

3-3 레진코어 축조 2

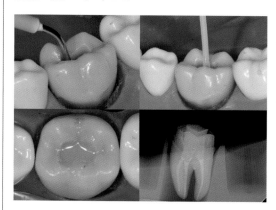

근관 입구 부분을 flowable 레진으로 lining 한다.
코어용 레진을 이용하여 와동을 충전한다.

Biomechanical data

Tooth#	Canal	Provisional length	Ref. point	Working length	IAF	MAF	Filling Mat.	Sealant	Filling Tec.

(술자가 기록합니다)

하악 대구치의 근관충전 평가지

학번		이름		날짜	20 년 월 일

(평가자가 기록합니다)

평가내용/점수	잘함	보통	미흡
마스터 콘 선택과정에서 마스터 콘이 근관장만큼 또는 근관장에서 1 mm 이내로 들어가면서 tugback이 느껴지는가			
근관충전 후 촬영한 방사선 사진 상 마스터 콘이 근관장만큼 또는 근관장에서 1 mm 이내로 위치되는가			
근관충전 후 촬영한 방사선 사진상 근관은 빈 공간 없이 3차원적으로 잘 충전되었는가			
근관 입구 부위에서 거타퍼챠 콘은 깨끗이 제거되어 있는가			
치수강에 실러 등이 남아 있지 않고 깨끗한가			
전반적인 근관충전의 완성도			

기타 평가사항

(평가자가 자유롭게 기술)

평 가 자		(서명)	술 자 확 인		(서명)